新编文史笔记丛书

萧乾 主编

第三辑

35

中州钩沉

◎河南省文史研究馆 编

●魏玉林 王华农 刘家骥 主编

中华书局

目录

政坛风云

艺文春秋

教育掠影

工商鳞爪

社会百态

地方风情

戏林寻踪

体坛话旧

黄浪滔滔

黎民灾难

序

萧　乾

读书界向来对野史有所偏爱。野史大多是信手拈来的历史片断，且往往出自亲历者之手。文直事核，不虚美，不隐恶，而文笔潇洒自如，意味隽永，自然朴实，篇幅不长；可以摊开来仔细咀嚼，也可供茶余酒后、行旅倥偬中，随手浏览。

鲁迅在《华盖集》中，曾几次对野史表示过好感。在《忽然想到》一文中写道："历史上都写着中国的灵魂，指示着将来的命运，只因为涂饰太厚，废话太多，所以很不容易察出底细来。正如通过密叶投射在莓苔上面的月光，只看见点点碎影。但如看野史和杂记,可更容易了然了,因为他们究竟不必太摆史官的架子。”又在同书《这个与那个》一文中说:“野史和杂说自然也免不了有讹传,挟恩怨,但看往事却可以较分明,因为它究竟不像正史那样地装腔作势。”

全国文史研究馆所编的《新编文史笔记》丛书,内容也属野史杂说的范畴。我们希望这些以亲闻、亲见、亲历为主的轶事掌故、琐闻杂记,写人、事而摒除误会曲解,述历史而符合真实面目。

作为一种短隽有味,文字清奇而又雅俗共赏的文学体裁,笔记在中国具有悠久的传统。它始自魏晋,盛行于宋代。南朝刘义庆的《世说新语》,北宋沈括的《梦溪笔谈》,南宋陆游的《老学庵笔记》,明朝张岱的《陶庵梦忆》,清朝纪昀的《阅微草堂笔记》以及20世纪30年代初丰子恺的《缘缘堂随笔》,都是文学史上的奇葩。然而,近年来笔记乏人问津。因此,我们出这一套书,也包含着挽回颓势之意。

全国三十二所文史研究馆拥有雄厚的稿源,两千多位馆员和各馆联系的社会人士,都是丛书的撰稿人。他们都是文史界的耆宿,见多识广,阅历丰富:有的反对过帝制,有的在“五四”运动中扛过大旗,他们目睹过军阀的横行霸道,也经历过艰苦卓绝的八年抗战。这些历尽沧桑的饱学之士,他们的所见所闻,都是弥足珍贵的史料。

本丛书分辑出版，分别由各地文史研究馆编辑,内容亦以本乡本土为主。因此,各册势必具有浓厚的地方色彩。

本着笔记固有的传统，所收各文题材不嫌庞杂。举凡与文史有关的政治、经济、军事、文化、社会等方面,或记闻见杂事,或叙往昔交游,或忆社会百态,均在搜罗之列。时间跨度则自清末以迄1949年为止。这正是中华民族从闭关自守到走向世界,从落后羸弱到奋发图强,是天翻地覆、风起云涌的大半个世纪。其间,发生过多少可歌可泣的事迹,涌现过多少杰出的人物。以这一时间跨度为背景题材写出的笔记作品,必然是内容最为丰厚的。

在选稿标准上,我们坚持史料一定要真,内容要新;既要防止以讹传讹,也力避炒冷饭。在写法上务求短小精悍、生动活泼。每篇以千字为度,希望借此在文风方面,提倡一下简约。在版式上,则想做到既利于阅读,又便于携带。

恳切希望文史界方家及广大读者，不吝赐正。

孙中山赠王北方马裤

刘梦成

王北方，河南孟津县人，才华过人，秉性耿直，系清末举人。早年参加同盟会，和戴传贤、居正等均属西山会议派。与其同样资历者多在国民党政府身居要职，因土常说些不满蒋介石的话，未被重用。后蒋有意委王为国民党西康省党部特派员，王认为，西康交通闭塞，人烟稀少，这是对他的“流放”，拒绝前往。

王参加广州起义时，正值隆冬寒月，孙中山先生见其衣服单薄，就将自己所穿旧法兰绒马裤脱下相赠。以后，这条马裤就成为他最珍贵的纪念品，洗得干干净净，精心保存。

他在开封自立高中、济汴中学等学校执教时，艰苦朴素、坦诚待人的作风受到师生们的尊敬。每逢国庆、春节及学校开学典礼，他才把这条珍藏的旧法兰绒马裤穿上。他说："我穿上这条马裤，心中就充满对中山先生及黄花岗七十二烈士的怀念，当年的峥嵘岁月就又浮现在眼前。"

王印川庆中举请老农民坐首席

郭景通

王印川，字月波，号空海，原修武县马作村人。历任北洋政府众议院秘书长、河南省省长、安徽省政府秘书长等职。

清光绪二十九年(1903)，王印川中举人。乡绅、同学、亲戚、朋友都来祝贺，连修武县知事亦前来助兴。一时家中高朋满座，热闹非凡。但时已过午，犹未开席。县知事暗自与王印川说："看样子，客已齐了，可开桌啦！"王印川说："请稍候，首座还未来咧。"县知事听了，十分诧异：我是一县之长，今日首席，非我莫属，他怎么说首席尚未来呢？莫非还有职务比我更高的人？正在嘀咕之际，突然一老农打扮的人进到屋内。王印川赶紧迎上前去，紧紧握住他的手，恭恭敬敬地说："老叔来了，请坐首席。"该老农再三谦让，王印川执意不肯，只好坐下了。王印川接着又把县知事让到陪席。宾客都坐定后，县知事站起来说："月波，这位老先生是谁?请予介绍。"王印川说："这是我的族叔王田喜。当年我家贫穷，上不起学，赖他日夜勤劳，省吃俭用，资助我读书。赴省乡试时，又是他备干粮、拿路费，亲自陪我前往。我之能有今日，皆田喜叔一人之力也。我考虑再三，知县乃一县之长，本应坐首席，但我们年兄年弟相称，他虽系一老农，却是咱们长辈，又是我的恩人，礼应让他坐首席。请你作陪，一可分长幼之序，又聊表我报答之心，更能显你我朋友之义，三全其美，不知知事以为然否?"县知事听后，哈哈大笑说："田喜叔如此大义助人，应坐首席。"接着交杯换盏，尽欢而散。

徐世昌撰家祠碑文

李自如　崔玉和　林元兴　口述

张衡轩　整理

徐世昌字菊人，祖籍浙江鄞县(宁波)，明朝末叶，因其祖携眷在京供职，久居京、津。至清道光年间，其高祖徐印川初居开封，后由其高祖母率孙辈移居豫北之汲县(清朝卫辉府)。因后裔繁衍，分别在开封、汲县两地落户并各有坟茔，汲县的徐家坟就有四处。传至徐世昌时，徐家在汲已居住六七十年。徐世昌于清咸丰八年(1855)，生于汲县前曹营街四号后院西屋，因生于卫辉，幼时乳名卫生。该院原为曹安侯的住宅，徐曹两家有姻亲关系，曹安侯生前常对人谈徐之出生地，事颇确凿。以后徐世昌离开汲县，在外居官，长期寓天津。在他任北洋政府国务卿和大总统时，汲县城内贡院街仍住有他的四婶母及其堂弟徐世芳一家。

徐世昌的继室席夫人，辉县人，因之徐在辉县建有房产一处，作为别墅，取名水竹村。徐世昌善于书法、绘画，喜画野菊，写一笔苏体(苏东坡)字，曾以“石门山人”为笔名，后来改攻草书，许多书法作品署名“水竹村人”。

1917年北洋政府在汲县拍卖官产，徐家由徐世芳出名购买贡院街原参将衙门旧址一处，集资改建徐家祠堂，1921年正式建成。从此，汲县既有徐世昌家房产田园，又有祖茔家祠。

徐家祠堂(现为汲师附小)的院落宽敞，建筑坚固，前院建有石坊一座，上面横额题“东海世家”，两侧石柱上刻有如下对联：“亭育托燕畿佳气常浮白云观；宗支分卫水清波远溯绕湖桥。”前院西侧有一碑亭，碑文是创建汲县徐氏家祠记，由徐世昌撰文并书写，其全文如下：

> 吾家自明季由浙江鄞县之绕湖桥北迁大兴，嗣后迁移天津，遂占籍焉。道光间高

祖印川公筮仕河南，至今居汴、居卫已数世，与土著无异。当我高祖在位时，曾祖新庵公官湖南，寻卒。其后，高祖母朱太夫人率先伯祖以次居于卫之汲县。叔曾祖笑轩公，官河南、陕西，伯祖汉卿公，祖考笔珊公，叔祖晓沧公、铁珊公，官河南，官安徽。室家则或居汲或居开封，六七十年来迄未久离于卫。伯曾祖兰生公之少子叔祖宇来公入杞县籍，成进士。卫之顿坊店，唐岗乾隆庙、张氏村（现为延津县）、开封之大花园，皆有先茔在焉。近且于汲于辉，分建屋宇，买田耕种，守房墓，长子孙，与乡里父老子弟各相契洽，俨有乡梓敬恭之义。我先人之官声行谊，父老子弟得之于闾巷传述者，类能道之。谓为德泽深厚，流荫后嗣，瞩眄于我族姓者甚厚。而我之族姓，固将长为卫人，其所以绵祖德裕后昆，以传衍于无穷者，可不深长思哉？今与诸弟世光，世钢，世芳，世襄，世章公筹议于汲县城内建立家祠，由我曾祖以下子孙世世奉守。所有出资购基地、建祠宇、筹备祭田，均分别详载章程，俾后子孙有所稽考，有所遵守。为此，亦仅籍祖宗享祀之备，以明宗法，敦爱敬而已。江南大族每于宗祠附设义庄义塾，凡族中贫乏之周恤，子弟之教育等事靡不备。而纂记谱牒，管理祠产及族人贤不肖之劝惩，皆由族中长老之公正者，公举一人董其事。族规之善，足以补官治之所不及。余窃闻而

慕之。若能即此而渐事推扩，以致美备是，则余宗族后世子孙，同有之责也。勉夫！

民国十年十月世昌谨撰并书

根据徐世昌亲手撰写的碑文及徐家后代人的言传，证明徐世昌家族在汲县繁衍数世无疑。

袁世凯豫北三公馆见闻

冯培德　耿玉儒

袁世凯在豫北汲县(现卫辉市)、辉县、安阳三处建有公馆。卫辉的公馆在城北马市街，富丽堂皇，称袁宅。袁住卫辉时，常去辉县百泉游玩。为了方便，又在辉县东门里建了一座公馆，在西关建一处花园。袁罢官离京后居住安阳时所建公馆是一排三个宅院，袁住中间宅院，太太们住在他的周围，院后是花园。

袁世凯驻足汲县后，中州名士李敏修（进士）、王锡彤(拔贡)于宣统元年(1909)元月初四日谒袁于马市街寓邸，当时在座的有袁府幕友谢仲琴及其族弟袁勉堂。仲琴在朝鲜即参戎幕，至老不受褒奖，成为修洁之士。勉堂老成敦厚，因通医术，故随袁世凯至卫辉。当时帝、后新薨，溥仪立为皇帝，正值国恤期间，他们因此均按清制不剃发，神态黯然，彼此事先约定，这次晤见时不谈国事，但谈及实业，袁世凯兴趣非常浓厚。

其后，袁世凯与李敏修、王锡彤即相从甚密，李、王不断到袁邸为袁讲经，讨论古今中外历史兴衰和安邦治国之策。袁对《三国演义》兴趣尤浓。在他们对弈时，往往漫论《三国演义》中运筹帷幄的故事。王锡彤后来参加了袁世凯所创建的北京自来水公司、唐山洋灰公司、滦州矿务公司的管理和领导，协同北洋财政总长周学熙，进一步开办了华北地区纺织、面粉、水泥、煤炭、钢铁工业，担任了中国实业协会副会长。

袁世凯在卫辉结识朋友很多，除李、王外，还有吴庆桐(后被荐任南阳镇守使)、王锡龄(后被荐任洛阳知事)、何兰芬(任北京崇文门总督)、王江洲(清政府礼部主事)、顾玉卫(与曹锟结拜为友，在本军任职)、徐世光(北洋政府总统府参事)、梁宪清(袁府内务总管)等。

袁世凯有一妻九妾，夫妻生活为定时轮流。妾到袁房时都要带去自己的老妈子、佣人。袁世凯每天早晨约五点钟起床，先喝人参汤，再办公，然后用早餐。早饭常为鸡丝面条。人参汤的做法是：将人参放入带有螺丝盖、盖上有孔系有绳子的小砂罐内，加水，再将砂罐置于盛水的大口铁壶内，罐体下沉适当位置后，将罐盖之绳，系于铁壶的提手上，然后用火炖。炖好用纱布将参滤出，汤即可饮用。鸡丝面条的做法是：将白条鸡去骨，放砂锅里炖烂，再将面条放入鸡汤煮熟。

袁会客规矩很严，不论官客私客请见，均须经文武承宣通知内务总管，再由内务总管面呈

袁世凯,袁决定见与不见后,再经内务总管通知文武承宣,由承宣告知谒见人。

李敏修二三事

郑伯铭

中州名儒李敏修(1866—1943),名时灿,出生于卫辉市德西街。先生的懿行美德,在街邻中有口皆碑,至今德西街六十岁以上的老人,每提到先生,犹敬称之为"李二老",而不直呼其名;我系先生同街近邻,也属晚辈,今仅就亲身接触,回忆二三事,以表怀念之忱。

先生热心教育,对晚辈后学,十分关心。为了让后代成为有道德、有礼貌、有学识的人,先生给高年级小学生每人赠发一本清朝李毓秀编著的《弟子规》,这本书虽有封建糟粕,但当时对青少年的道德礼貌教育,起到颇大的推动作用。其时我在汲县第一小学上五年级,校长是先生的侄孙李恒铭,学校把每日上午第一节课前的十分钟,定为阅读背诵《弟子规》的时间,有些内容,校长、老师还分别讲解。经过一学期的学习,学生在道德礼貌方面,确有很好的表现,有些甚至影响一生的行事。

1935年秋天,先生为了促进乡邻团结和睦、敬老尊长,给桥北三个团结和睦的典型家庭赠挂大型木制匾额，先生亲自撰文，由著名书法家张润身(名培基)书写，表彰三家几代家庭和睦、团结邻里、勤俭持家的美德，洋洋洒洒近千言，文情并茂，落款为“七十老人李时灿敬赠”。我亲睹给周进礼、周进儒家挂匾的盛况：民乐吹奏引导，一路鞭炮齐鸣，匾额放在四人抬着的方桌上，围观民众前呼后拥，抬至周家大门口后，举行了简短的仪式，悬挂在周家大门之上。原来家庭不团结、不和睦的大都主动和解，表示要争取李二老给挂匾。在相当长的一段时间内，街道中极少发生打架、斗殴、吵闹的事，社会风气大有好转。

抗日战争开始后，1938 年日军占领安阳，先生为了保持民族气节，不当汉奸，逃难到禹县(今禹州市)。先生早年曾在禹州办教育，当年的学生，多已成为地方上的名流、士绅，包括禹州“三杰”之一的陈家桓(字肇卿)，因此先生备受各界人士的欢迎和照顾。有些没有受业于先生门下的，也亲往先生住处求谒，递上门生帖子，拜先生为师。当时逃难在禹州的卫辉住户，约有百家，由于先生的声望，也备受当地群众的照顾和尊敬，很多当地群众主动让出房屋。在先生的热情帮助下，汲县的省立十二中、省立第五师范、省立职业学校和豫北中学先后迁到禹县，得以继续办学。

康有为送给吴佩孚的谏联

刘耀德

1923年春,康有为为了拉拢吴佩孚,千里迢迢去洛阳为吴祝寿,并送给吴佩孚一副全国闻名的吹捧寿联。经过祝寿活动,他看出了吴佩孚倔强固执、自以为是、独断专横、刚愎自用的性格,特又送给吴一副鲜为人知的谏联:

好闻再裕,自用再小,虽周公之才美,使骄吝不足观矣;

闻过则喜,见善则拜,若诸葛之公明,能集思庶广益焉。

这副谏联,贴切而有深意,希望刚愎自用的吴佩孚从中受到一些教益。

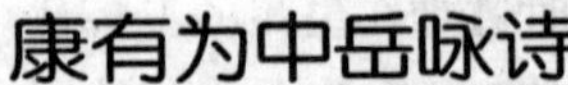

康有为中岳咏诗

崔炎寿

1923年冬,康有为和弟子陈重远从关中来洛阳,前往中岳游览。吴佩孚特派自己的亲信幕僚杨圻(杨云史)陪同。农历腊月十二日,他们三人乘一辆前插小红旗、上书“孔教会”三字的马拉轿车，带着五六个人役，于黎明时从李家楼渡过洛河，经偃师县的府店、参驾店来到圜辕关。中午，登封知县率领县署职员和学校师生二百余人，在登封西十里铺迎候，下榻县署。晚饭后，康应登封乡贤耆老的邀请，往明伦堂(原文庙内，即现在县公安局西院)讲学，内容是儒家的“修身、齐家、治国、平天下”。从明伦堂返回县署时，趁着月色，康氏一行又乘兴登上嵩阳楼。因感于“山川缟素，天地一白”，遂作《岳雪初霁夜登嵩阳楼》诗：“吾爱孟浩然，夜净清诗发。积雪堆青天，开楼醉寒月。”又有《嵩阳楼》一首：“山县关城早，天寒日暮愁，夕晖千仞雪，吾爱嵩阳楼。日出松石上，诗清情复幽，后人今不见，应共忆斯游。”

十三日晨，攀跻嵩山。夜幕将临时，康有为来到了嵩山半腰的白鹤观，并咏有《投宿嵩山白鹤观》诗一首：“行行青冥里，暮叩翠微窟。柴门松萝深，踏响空山月。”第二天，康有为一行数人登上中岳绝顶峻极峰。俯视山下，箕、颍、河、洛尽收眼底。下山时，因山路崎岖陡峭不便行走，扪石而下至炼丹庵。行人均已疲倦，便住在这里，洞内窗、床、桌、凳全是用石头做的，夜里寒冷过甚，取松枝燃火取暖。在这里，康有为咏有《夜宿逍遥谷石窟》诗：“乱石青天里，悬崖枕藉时。仙人原有宅，醉语亦成诗。夜静听崩雪，山空闻折枝。平明出谷口，险尽尚惊疑。”次日继续下山往回走，午抵嵩阳书院，康有为咏有《登万岁

峰午憩嵩阳书院》诗："行行积雪里，渐入浮云端。前路青天近，泠泠诗骨寒。三呼犹响谷，万岁已无坛。古柏双株在，将军是汉官。"午后转至崇福宫，康有为发现一深绿色殿顶脊兽。道士说这是从汉武帝的万岁观中捡来的，康氏认为是汉代遗物，备加爱抚赏玩。晚返县署，为乾隆版县志书名，又写了"育英学社"四个大字，下署"癸亥冬康有为"，石刻现在嵩阳书院碑廊保存。

农历腊月十七日，康有为一行离开登封，并派随来人员去崇福宫抬回深绿色脊兽，放入轿车内带走。县师校长申阁岑闻知此事，说："康有为偷走了登封的珍贵文物，我们赶快追回来。"他亲自带领学生跑步追到五里堡，索回原物，交县教育馆存放。

胡景翼画佛

涂耿华

胡景翼(笠僧)将军是陕西名将，辛亥西安举义，纵横三秦，跃马燕冀，驰骋中原，转战十数载，无间寒暑。且于戎马倥偬之余，习文作画，颇具儒风。

1924年12月中旬，胡景翼偕李根源、柏文蔚等进入开封，就任河南军务督办之职。翌年3月臂生疔疽，带病亲临前线，指挥对憨玉琨的战争，4月10日即病殁于开封。逝世的前几天，他曾去李根源斋中小憩，其时臂疮已发，但仍应李根源之邀，为李与河南图书馆馆长何日章合编的《河南图书馆藏石目》一书题签。写完之后，就砚中余墨，信手勾勒出一尊侧身佛像。构图简洁，行笔流畅，虽然寥寥数笔，倒也惟妙惟肖。接着又在佛像上方题赞曰：

> 见佛即佛。人以谓佛在某，即在某某也。佛即是佛矣。
>
> 笠僧合十（印）

画成后出示李根源、叶香石等观看，并开玩笑地说：咱就是这位佛祖转世而生的。此话逗得在场人忍俊不禁，因为胡体态肥伟，酷似一尊弥勒。但胡景翼当时另有所指，原来，胡的父母迷信佛祖，在其未出生前曾赴耀州城外药王山笠师佛寺求子，一俟景翼出生，便起名“笠僧”。

胡的嬉戏之语给人们留下了深刻印象，不几天，竟死于恶疽，时年三十四岁。李根源感叹不已，遂撰文题记此事。李文由卢铸代书于胡所画佛像之左，柏文蔚又在画的右上方题“笠僧墨妙”四字。胡、李、卢、柏都是当时名流，珠联璧合成一幅。该画及题词被付石印刷若干份，分送友人。

吴佩孚过邓县

赵金骧

1927年,冯玉祥潼关出师,配合北伐军胜利进军,迫使在河南巩县避难的吴佩孚急忙带上自己的卫队旅(约二千人)取道南阳,逃至邓县,时为1927年5月27日。

当时,陆军第二十六师师长于学忠,率部驻扎邓县。他们是蓬莱老乡,吴氏来邓目的是与于学忠共商入川之策,妄图东山再起。然而,吴的部下多不服从,吴无奈,只好自己登程南下。

5月29日下午,吴佩孚来到豫南构林关。构林团总杨星如、联保主任马汉亭及乡绅急忙置备酒宴,为吴接风洗尘,吴佩孚面对满桌酒肉说道:"免了吧,战火连绵,百姓不得温饱,我们还要这多菜干什么!"他只留四样小菜,其余全叫人撤了下去。尽管吴佩孚在构林关受到热情接待,但他入蜀心切,第二天便要开拔。动身前,地方绅士们纷至沓来,要吴留诗题字。吴佩孚虽为军曹,颇爱书法,遂欣然应允,其中,为大绅杨星如亲题七律屏幛一幅,下两联写道:"天落泪时人落泪,哭声高处歌声高。世人漫道民生众,苦害生民是尔曹。"给马汉亭的题联是:"即今耆旧闻新语,不觉先贤畏后生。"

吴佩孚洋洋洒洒，正写得得意，忽有人报："孙连仲师追来了。"吴听此言，惊慌失措，立刻下令整队逃离。

构林南胡李店附近的三通桥，岗峦起伏，沟壑纵横，再加连年匪患，田园荒芜，野草没膝，历为匪徒出没之地。吴部刚刚走至三通桥，忽然一阵乱枪打来，从旁边的干沟里窜出一伙强人，七手八脚，从车上劫走了他们的枪支财物，连吴的秘书长张煌言也在乱枪中死去。呜呼大帅，实可谓"强弩之末，势不穿鲁缟"也！吴佩孚再不敢粗心，急忙带着残部渡过汉江下四川去了。

事后方知，截击吴佩孚者，杆首索金娃也。邓人讽谕说："山中的老虎，到平地被哈巴狗咬了一口。"

张学良救灾义举

刘东周

1931年，豫西救灾会会长许鼎臣为了灾民活命，亲赴北平呼赈。当时任河南旅平赈灾会会长的李敏修(河南汲县人，清末进士)是许的学术契友，许前往拜访时，正值李宴请张学良，被邀作陪。席间，许鼎臣乘机向张学良呼赈，张当即答应从锦州拨运赈粮十万斤，对张这种关心灾民的义举，许深为感动，当面致谢。李敏修也答

应从赈灾会转拨给豫西救灾会粜粮三列车(约三十万斤)。许鼎臣得到张学良、李敏修这大批食粮赈灾,感到十分高兴。

我和于凤至打网球

牛建功

1931 年“九一八”事变后,东北三省大地尽沦日寇铁蹄之下。张学良乘专车将东北大学学生送到开封,并于河南大学。张与河大校长许心武洽谈后,即匆匆赴南京。两校校务由许校长和张学良的夫人于凤至共同协商办理。当时我在河南大学文学院读书。

于凤至最喜体育运动,尤擅网球,更嗜野地高尔夫球。为了联谊,曾举行了一次东大与河大春季联合运动会。大会简定了十个项目。河大没有女代表,张夫人邀胡叔平教授和我代表河大;她与胡珊珊代表东大,进行网球双打比赛。虽系赛事,但双方却始终表现得彬彬文雅,礼貌谦恭。以三比三平局,没能分出胜负。在闭幕发奖时,胡叔平教授提出冠军以球龄长短为定,张夫人陪少帅有二十春秋,应荣获首席。张夫人问:河大怎么没有女网球运动员?胡教授回答说,女学生不宜赤足袒胸。张夫人俯首莞尔微笑,接受了胡教授赠送的德国造世界标准网球“登鲁普”一桶六枚。

张钫监制张仲景名著

刘耀德

南阳名胜古迹“医圣祠”，是为纪念医圣张仲景而修建的。在祠内医史文献博物馆内，陈列着张钫捐资监制的张仲景的名著——《伤寒杂病论》木刻版两箱，内装木刻版一百十五页。这两个木箱的正面都写着：“《伤寒杂病论》，己卯(1939)年秋，张钫题”的字样。另有一个木箱，内装《医事丛刊》木刻版五十页，箱子的正面也用隶书写着“张钫题”的字样。这三箱木刻版，为南阳医圣祠里最珍贵的文物之一。

1938年，张钫(国民党元老，河南新安人)在西安居住时，闻知长安中医学家黄竹斋1934年在宁波寻得了桂林罗哲初所珍藏的张仲景第四十六代孙保存的《伤寒杂病论》，认为是稀世之物，欣然捐款，亲自监制了上述木刻版两箱，印刷发行，使这部张仲景名著重新问世。

1980年，陕西中医研究院研究员、副院长朱伯让(黄竹斋的门生)，又用张钫先生的木刻版，印刷该书二百部，分发到全国各大图书馆、中医学研究机构，以便医学界进行学习研究。

1987年5月，经国家卫生部批准，修复了南阳医圣祠，朱伯让遵守先师黄竹斋老先生的遗嘱，把张钫捐资监制的《伤寒杂病论》、《医事丛刊》三箱木刻版，赠送给南阳“医圣祠”。

胡石青洁身自爱

王华农

民国五年(1916)春，袁世凯称帝事正紧锣密鼓，气焰很盛。国会众议院议员、中国煤矿公司总经理胡石青几个月避而不在北京。后因事赴京，有人告诉他：“大总统屡次问起你！”他二话不说，连夜乘车往天津，绕路回到焦作。并写诗明志：

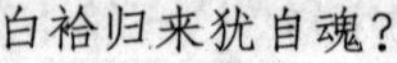
白袷归来犹自魂？

浣溪流出帝京尘。

其高风亮节，由此可见。

袁氏称帝后，蔡锷在云南一经发难，胡即赶往开封，与河南省长田文烈密议，首先通电响应讨袁。

商震的马球队

信应举

1936年秋，商震任河南省主席时，曾培训一个马球队，在开封的华北运动场作过表演比赛。表演场面，十分动人。

场地比足球场还要大些，球像高尔夫球。人分两队，都骑在马上，手执长柄曲脚球棒。开始时，在场中间开球，棒落球驰，众马追逐，互向对方球门进击。马都经过驯练，娴熟快速，尽如人意。人在马上，顺势击球，前截后顿，左偏右侧，时或探身近地，时或贴身马腹，惊险紧张，目不暇接。观者如堵，啧啧称绝。

比赛前，还散发了有关马球的介绍。说此球盛于唐代，不只以此锻炼身体，也是为了习战，培养机智与勇敢。

此后，曾读韩愈《汴泗交流赠张仆射建封》诗，由此诗看到了唐代马球的打法，与所见商震马球队的比赛情况，甚为相符。诗云：

> 汴泗交流郡城角，筑场千步平如削。……新秋朝凉未见日，公早结束来何为？分曹决胜约前定，百马攒蹄近相映。马惊杖奋合且离，红牛缨绂黄金羁。侧身转臂著马腹，霹雳应手神珠驰。超遥散漫两闲暇，挥霍纷纭争变化……此诚习战非为剧，岂若安坐行良图……

诗里写了球场的大小，马的装饰，更多的诗句是写打球的情况。所说“百马”，当然不是实数，只是言马之多。“神珠”也是指球，“侧身转臂著马腹，霹雳应手神珠驰”，“马惊杖奋合且离”等等描写，真可以印证商震的马球确是远承于唐代，可惜商震时这一运动只是昙花一现，此后，不仅不再见，而且也不再闻了。

书香门第——冯友兰一家

刘家骥

一级教授冯友兰(1895—1990)的家庭，乃少见的书香门第。

冯友兰，河南唐河县人，1923年美国哥伦比亚大学哲学博士。他从三十岁在河南中州大学(河南大学前身)作文科主任开始，在燕京、清华、北大等高等院校执教六十余年，桃李满天下。主要著作有《中国哲学史》(英、日均有译本)及《中国哲学史新编》(已出五册)，是第一个将中国哲学和西方哲学进行比较研究、享有世界声誉的学者。其祖父写得一手好诗，传下来的几十首，编为《梅村诗稿》。其父冯树侯，是清光绪进士，曾作湖广总督张之洞办的外语学校的会计庶务委员(相当于总务长)、湖北崇阳知县。其母吴氏，亦通晓诗书。

冯友兰兄妹四人，除一妹外，各有学术成就，名重于世。弟景兰，系地理(地质)学家。妹淑兰即冯沅君(1900—1974)，尤有名望。她1922年毕业于北京女子高等师范后，到北大研究所钻研国学，在钻研中国古典文学的同时，即以淦女士为笔名,在《创造季刊》、《创造周刊》、《莽原》等杂志发表了许多小说,后结集为《卷葹》、《春痕》、《劫灰》三个集子。小说以反对封建礼教封建婚姻、追求个性解放与恋爱自由、讴歌坚贞不渝的爱情为主题,作为封建社会的叛逆者,在青年中影响很大;同冰心、石评梅一起,被文坛称为中国三才女。从1925年北大研究所毕业任教于南京金陵大学开始,她又经历了半个多世纪的教学生涯,在中国诗歌史(同陆侃如合著《中国诗史》)及宋词元曲研究方面所取得的成就又远远高于青年时期的创作。她同乃兄一样,在山东大学也是全国闻名的一级教授。

冯友兰的女儿宗璞系中国作家协会会员,她的小说《弦上的梦》是1978年全国短篇小说获奖作品。

郭芳五的家教

王　蕾

民国时期,在河南,先后送子侄五人赴欧美留学、志在强国利民者,有孟津郭芳五。

郭芳五(1889—1947),同盟会员,民国后任国会众议院议员。后半生致力于社会公益事业,在洛阳创办《行都日报》及行都慈幼院。郭氏严于家教,以勤学苦读,敦品励行,谆谆教育子侄。

常说:“要做大事不做大官。即做大官,亦为做大事而来,不然,大官亦何味哉! ”在老人谆谆教导下,子侄辈均学有所成。出国留学者五人,侄鑫斋留德学医,得博士学位,回国后任河南大学医学院院长;侄培鋆在法、比学土木水利,建国后任河南省水利厅副厅长,现任省人大副主任;子培学在美学水利,回国后曾执教于河南大学;侄培厚在法、比学化学、化工,现在美任大学教授;侄培凯留美学医, 回国后任南京第一人民医院副院长。其余子侄辈四人在国内大学学医、学农、学矿。

郭曾为笔者书一条幅,嘱善自领会,作为立身之本。书为行草,笔力矫健,古朴苍秀,味厚神藏,其文为:“渴不饮盗泉水,热不憩恶木荫,恶木岂无枝,志士多苦心。”

“王 疯 子”

方晴初

王毅斋人称“疯子”,在国民党统治下,不计个人安危、勇于斗争的事例很多,今记其 1939—1947 年间在河南大学的一些情况。

1939 年夏, 王毅斋第二次到河南大学任经济系主任。一天,校长王广庆找王毅斋谈话,透露国民党反动派有一张拟予逮捕的名单, 其中有王毅斋。王第二天起程，步行三百多里，直奔国民党省党部，对党部特务头子说："听说你们要捕我，现在不用你们费事，我自己来了。如果我有罪就宣布我的罪状，该怎么办就怎么办；如果没有罪，暗中搞黑名单干什么？"特务头子连声说："误会，误会，先生请回。"

一次，他在河大社会科学研究会组织的一场时事报告会上作时事报告，慷慨陈词，抨击时政，大骂国民党腐败无能，并指名道姓地对在场特务说："就说是我王毅斋讲的，随便你们去报告吧。"

1946 年 6 月，蒋介石发动全面内战。一次，他正在上课时，嗡嗡的飞机声忽从屋顶掠过，他情绪激动地说："听这飞机声，不知又有多少人血肉横飞，这就是蒋先生的德政。"又说："在座诸君，我并不知道你们的政治态度，但头可断，血可流，真理不可丢！"

1947 年 3 月中旬，通过经济系学生卢治国的联系，他欣然接受民盟中央总部的授意，邀集李俊甫(中共地下党员、化学系教授)、杜孟模(开封高中教师)、段再丕(水利系教授)、陈方堃(经济系助教)、刘世明(中共地下党员、《中国时报》编辑)、李定中(经济系助教)及卢治国秘密开会，宣布成立地下民盟河南省支部。

9 月 15 日，他第二次被解聘。

我所知道的赵守钰

王质彬

1943年11月，河南整修黄泛临时工程委员会在许昌成立。刚刚就任黄河水利委员会委员长不久的赵守钰从西安来到许昌，坐阵指挥黄泛新堤的堵口、复堤工作。当时我正在许昌读书，听说赵氏早年参加过同盟会，在晋军和西北军中曾膺要职，是一个戎马半生、颇富传奇色彩的人物，就和几个同学一起，想到他住的周围观察一番。我们未受阻拦就进入他住的院子，迎面看到的并不是想象中的高级官员住宅，而是一朴素的帐篷，帐篷下有可折叠的帆布行军床，床周拉一圈布作为围墙，围墙与篷顶并不连接，可以通风换气。据说这是赵氏多年军旅生涯养成的习惯，他这时虽已六十开外，但不论隆冬、酷暑，都仍然这样，决不住在室内。

不久，赵守钰应邀向许昌全体中学生作了一个报告，讲述他护送班禅大师回藏经过：九世班禅原住日喀则，为后藏政教首领。因与住在拉萨的达赖失和，离开西藏来到内地，受到中央政府的礼遇。后达赖悔悟，邀班禅回藏，南京政府为密切汉藏关系，遂派赵作专使，随带五百宪兵护卫，送班禅归藏。一行人马浩浩荡荡到达青海玉树的时候,“七七”事变发生,这时英国乘我之危,竟来电“抗议”,谓我方不得带兵进入西藏。南京政府在英方压力下,决定停止前进,九世班禅不久病逝,没有达到回藏愿望。讲到这里,赵守钰目视全场,满怀激情地勉励听众,当前固然要与一心亡我的暴日拼搏,也不能忘记其他帝国主义对我国边疆地区的野心。语重心长,青年学子听后无不动容。

1946年春,国民党政府决心尽快堵塞花园口口门,命他兼任堵口复堤工程局局长之职。他和中共代表一起视察黄河故道以后,深知不先复堤而先堵口是不对的。他同意总工程师陶述曾的意见,主张汛后堵口。行政院坚不同意,仍令汛前完成。因准备不足,汛前堵口最后宣告失败。许多人把责任归于他,他遂愤而辞去局长兼职,次年黄河水利委员会改组为黄河水利工程局,他的委员长职务也随之免掉了。

朱德赠书

郭鹄群

1940年5月的一天上午,一部军车缓缓开到渑池县民众教育馆前。从车上跳下三个军人,他们身着灰色粗布军衣,腰系皮带,每人挎一把盒子手枪,来找民众教育馆馆长段家鉴,协商暂

借用民众教育馆三间空房。

太阳落山时，那部军车又开进了民众教育馆。段家鉴的长子段忠洲回忆说："从车上走下来一位首长，主动上前同我父亲握手问好。他身边的军人介绍说：'这是我们的首长。'只见这位首长身躯高大，穿着粗布军服，打着绑腿，脚蹬布鞋，腰佩左轮手枪。事过七天后，人们才知道，他就是八路军总司令朱德。"

朱总司令在渑池期间，和段家鉴交情较深。段家鉴，字镜秋，历任教师、督学、教育局长、教育馆馆长等职。当时，段家鉴等人虽然不知道南屋住的是什么官，但他们清楚，这是共产党领导下的抗日救国部队的领导人。年已六十八岁的段家鉴次子段忠干回忆说："当时我在县城上学，也住在教育馆，南屋门口站着岗，除了我父亲每天晚上能进出外，其他任何人不得进入。"段忠洲回忆说："朱总司令好读书，每晚在煤油灯下孜孜不倦地阅读到深夜。据父亲说，朱总司令当时研读的是英文版马克思著作。"朱总司令曾几次找段家鉴畅谈民众抗日救国的大事。段家鉴聆听了总司令的教诲后，回去对两个儿子说："南屋住的那个官，可是个了不起的大学问家。"

一天深夜，两个人轻步来到县民众教育馆，敲响了办公室的门。民众教育馆的书记员张三成开门一问，知道他们是住在县城小寨兵站的八路军。来者把一个用报纸封好的长方形纸包

交给张三成说："我们首长听说段馆长有病在家休息，不愿打扰他了。请你务必将这个包亲自交给段馆长。"最后一句话讲得十分郑重。说完，转身走了。

第二天下午，段家鉴带病来到办公室，这时，他才知道住在南屋的八路军已离开此地十五个小时，他急忙把头天晚上送来的纸包打开，见是两本马克思著作。翻开书一看，他一下子惊呆了：只见书里边夹着的一张片子上赫然写着"朱德"的名字！

白崇禧与河南回教救国协会

刘东周

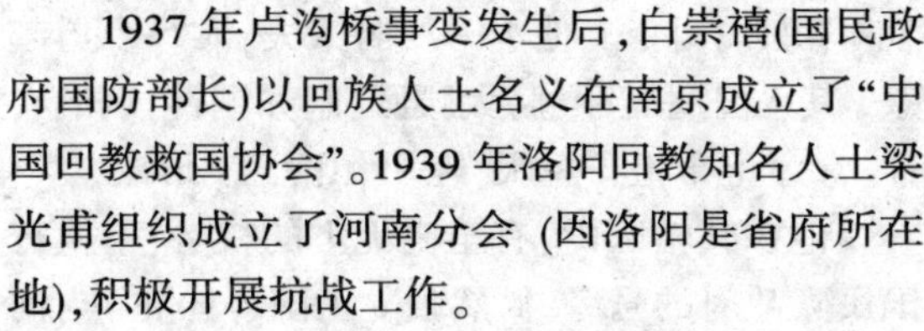

1937年卢沟桥事变发生后，白崇禧(国民政府国防部长)以回族人士名义在南京成立了"中国回教救国协会"。1939年洛阳回教知名人士梁光甫组织成立了河南分会（因洛阳是省府所在地)，积极开展抗战工作。

1940年至1942年，白崇禧两次来洛，在清真寺召开回族群众大会。他以中国回族救国协会理事长身份，号召全体回教同胞，加强团结，枕戈待旦，随时随地参加抗战救国的战斗。他还为每个清真寺亲笔书写"建国兴教"四个大字，制匾悬挂留念。

经过白的动员，洛阳虽然回民不多，但也组织成立了“回民青年战时服务队”，领导豫西各县回民青年，深入抗日前线，开展战地服务工作，为抗击日寇的前防战士，作出了应有的贡献。

别廷芳的轶闻趣语

刘家骥

1938—1942 年，我先后在镇平、内乡读书，听到许多有关别廷芳的轶闻趣语。

别廷芳，人称别司令，他继彭禹廷之后为天宁寺宛西乡村师范校长，先后任镇(平)、内(乡)、淅(川)、邓(县)四县联防主任、宛属十三县国民自卫军(民团)司令。他本一村野武夫，靠练乡勇起家。其人身材肥硕，膀大腰圆，眼如铜铃，炯炯有神，常穿土布粗布短服，纯一“山大王”形象。

他在其辖区内，有至高无上的权势，不执行国民党政府的号令，俨然独立王国。1936 年，河南省教育厅长齐真如到乡村师范视察，为了控制这所学校，提出要改为“省立”，经费由省拨发，教育宗旨须符合全省的统一规定。别廷芳听到接待人员的报告后破口大骂：“放他妈的屁，老子不要他的臭钱，不要他派来的混帐东西，不准他插手，撵他快滚蛋，不然我要下令驱逐出境。”齐虽是省府大员，也只好灰溜溜地走了。1938年，国民党中央委员李宗黄到该校演讲时，有指责宛西自治的话语，对这样显赫的人物，别廷芳照样不理睬，不去送行且不说，在李走后还在公开讲话中不满地说：“要是过去，别想出我内乡！”

别廷芳语言粗俗，传闻很多。仅举一例：一次他在乡村师范讲演，讲到“随潮流”问题时，用洪亮的声音骂道：“娘那个屁，现在都是要随潮流哩，婆娘们做的鞋也不穿了，要买鞋穿，那人家卖屁股你也卖屁股？”

老舍河南之行

陈秋棠

抗日战争爆发后，大后方人民为了支援前线，组织了很多群众团体开展抗日宣传和慰问活动，当时，重庆全国慰劳总会就是这类团体之一。

1939年6月28日，慰问团从重庆出发，由团长贺衷寒率领，总团长张继随行，老舍作为“中华全国文艺界抗敌协会”(下称“文协”)的代表参加，一行十五人，于7月17日到达洛阳。老舍在洛阳期间，除慰劳抗战军民外，还参观了周公庙、关林、龙门石窟、白马寺等名胜古迹，并赋

诗二首:

《过天津桥》(即洛阳桥)

天津桥外古亭林,几代风流余鸟音;
白鹤云间山色远,黄牛车缓柳阴深;
桑麻未异丰年景,刀火偏多报国心;
肯向鹃声卜未劫,金戈铁马动长吟!

《白马寺》

中州原善土,白马驮经来。
野鹤闻初磬,明霞照古台。
疏钟群冢寂,一梦万莲开。
劫乱今犹昔,焚香悟佛哀。

7月30日,老舍随慰问团由洛阳乘汽车南行,晚宿叶县,停留一天,8月1日到达南阳,3日开始在鄂西北重镇——老河口慰问一周,10日到襄樊,12日到内乡,在西峡口过夜时,老舍应国立十中(由河北省迁来)邀请讲演,他讲得激昂慷慨,说:“前线的战士多么需要鼓舞杀敌斗志、激发抗战的宣传品!我们作家辛辛苦苦,夜以继日地为他们写的各种通俗文艺读物,堆积如山,就是运不到前线去。找政府交涉,说是没有汽油,——果真没有汽油吗?如果日本飞机的炸弹丢到我老舍头上能炸出汽油来,我宁愿日本的飞机把我炸死!”这种炽烈的爱国热情,激励着广大爱国青年学生。

冯玉祥兴办洛阳航空学校

毋梦绂 遗稿

1928年间，冯玉祥在洛阳筹划建立航空学校，并指派邓建中到开封招生。当时，我在河南延津县城内小学任教员，看到报载洛阳航空学校招生的消息，便前赴应试，竟侥幸录取。这次报考应试的有万人之多，被录取的仅五六十人。我们这些被录取的学员便开赴洛阳西工十二营房航空学校受训。

洛阳航空学校的第一任校长是邓建中。第二任校长是支应麟，教育长是刘中檀、焦易堂。航校的教官多数是从俄国航校毕业的，据说这是冯玉祥在五原誓师时送往俄国的一批专学航空技术的干部。另一部分教官是由北京南苑航空学校调来的，还有些是从各地聘请的，教职员工约计二三十人。当时的飞行教官有石友信(石友三的弟弟)、冯升云、张国保、苗春田、刘宗元(陕西省主席刘毓芬的侄子)、晏佑祜等，理论教官是李锡圭，气象教官高德隆。李春茂为总队长，另有一名俄国人担任副机械师。

洛阳航空学校当时只有一架俄国出产的旧式双翼飞机(机名“爱福禄”)，只能当教具，不能作教练飞行用。

学员们每天早晨五点起床出操。吃早饭时，还得唱支歌，歌词是“这些饮食，人民供给，我们应该，为民努力。帝国主义，国民之敌，救国救民，我们天职”。每天上午多是学习军事学科，有时还作野外实习，实弹射击等。由于待遇低，生活比较艰苦，又没有飞行的机会，学员们都纷纷要求退学。冯玉祥得知后，便召集全体官兵训话，大意是航校既已成立，保证有飞机可供学习。已向英、德等国购置了一批飞机，不久将可运到，请大家安心学习，以此来安定人心。

1929年初，由上海运回了从英国购买的五架飞机(四架“摩斯”教练机、一架德国产“容克”运输机)，连同原有的一架“爱福禄”，共有六架飞机。这时我们才正式开始学习驾驶飞行技术。当时洛阳有高级军事学校、初级军事学校、辎重学校、汽车学校、无线电学校等等，这些学校经常和我们航空学校一同演习陆空军配合作战。冯玉祥每星期都要召集洛阳各军事学校的官兵讲话，检阅部队，可以说这是冯玉祥最为惬意的时期。

冯玉祥在洛阳建立许多军事学校的行动，引起蒋介石不满，冯玉祥也察觉到自己处境危急，决定转移至大西北。正在这时，韩复榘通电反冯投蒋，拒不向西开进。当时冯已率先头部队赴西安，闻讯后急派吉鸿昌的骑兵和李文田、孙良诚等部队，星夜开至洛阳向东追韩，在黑石关打了一仗，韩复榘向开封一带溃退。蒋介石认为韩复榘反冯玉祥有功，仍任韩为河南省主席，冯玉祥得知后气得大病一场。他把洛阳所有的军事学校及航空学校,陆续开到西安、甘肃一带,重新练兵,以待来日与蒋介石决战。

冯玉祥到了西北,适值陕西大旱,连年歉收,兵无给养,已到进退维谷之境。不得不亲自到五台县建安村会见阎锡山,与之合作,一致通电声讨蒋介石。阎、冯坐镇开封指挥作战,阎、冯的航空学校也合并在一起,共十二三架飞机集中在开封龙亭机场整队编训。我们航空学员任务是驾飞机到豫东一带的商丘、柳河和徐州附近侦察敌情,有时也去前线丢炸弹。当时用的飞机炸弹都是迫击炮弹,威力很小。蒋介石依仗其空中优势,常到开封、豫南一带大肆轰炸。有一次,蒋介石的飞机到开封龙亭轰炸,我们的油库中弹起火,飞机炸毁大半。阎、冯表面合作,实际上同床异梦,加上蒋军比阎、冯军多,士气又旺,所以在柳河一战,阎、冯军溃败,逃至焦作。在焦作,冯、阎任命前敌总指挥鹿钟麟召集航校官兵讲话,每个学员发给一套制服,五十块现洋作疏散费,洛阳航空学校就此消亡了。

“冯泉亭”的由来

于传璧　魏　旭

辉县的百泉,是卫河的源头。它常年不断地

以其清澈的水源,接济卫河的漕运。它的上游,设有六个巨大的水闸,是当地农民为引水灌田而建,由来已久了。

1928年春,天酷旱,泉水大减。当时,驻新乡国民联军总司令冯玉祥部的参谋人员担心卫河水少,运送粮饷的水路梗塞,主张下令全部开放百泉的六个蓄水闸,放水补卫,以利运输。然而,这时是农民用水种稻的时节,如果启闸放水,百顷稻田就要干枯致死。冯玉祥知情后,立刻制止说:"我们用兵打仗,本来是为了解救老百姓,如今怎么能忍心夺取水源,损害老百姓利益呢?"

不久冯玉祥因病到百泉的清辉阁休养。他看到这里山水秀丽,名胜古迹很多,但年久失修,管理欠佳,就下令铲除荒秽,整修殿宇,修桥铺路,植树造林,今日百泉之成为河南著名旅游胜地,实由此开始。屹立于百泉湖内的湖心亭,就是由冯玉祥筹资修建的。

在百泉养病期间,冯玉祥还不断征询当地父老意见,察看地势,掘泉开渠,大兴水利。他命人用炸药炸大百泉西北角的两个泉眼,并用石头筑起一条长100米、宽12米、深4米的河道,让泉水流进湖中。在百泉湖的南岸(即现在的牛郎桥东头),向东南方向,他又派人挖了一条十五华里长的水渠,直通辉县东南的孟庄,以便浇灌两岸农田。这就是至今还在使用的东一支河。

为了表彰冯玉祥关心农桑、兴修水利的功德,辉县人民曾于1928年9月建亭立碑,以示纪念。亭内有一巨大石碑，刻“冯泉亭”三字，两侧明柱上对联是：

　　臆从绝塞啖风沙，重整军威，誓恢赤县神州，永作金汤巩固；

　　好藉清泉洗兵甲，大兴水利，来与黄冠草服，共谈稼穑艰难。

碑的背面刻有《冯泉亭记》，叙述了建亭缘由和经过，赞扬冯玉祥将军“出师以龛国难，凿泉以利农功”，“忧民忧而民亦忧其忧，乐民乐而民亦乐其乐”。

冯泉亭，是百泉胜景之一，也是冯玉祥将军爱国爱民的一个历史见证。

我当冯玉祥副官时发生的几件事

张公干 口述

于传璧　魏　旭 整理

1929年至1946年期间，我在冯玉祥身边工作，担任冯的随从副官。对冯玉祥将军爱国、追求进步的精神，深为感动。有几件鲜为人知的史实，虽已过去数十年，仍记忆犹新。

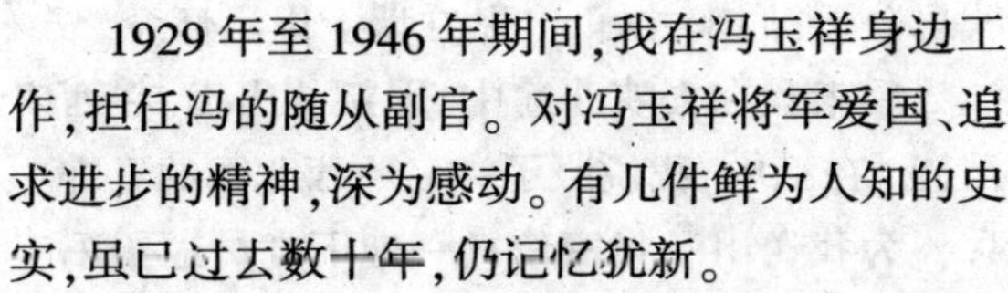

1931年“九一八”事变后，日军步步紧逼。

1933年初开始入侵华北，民族危机严重，当时冯玉祥在张家口积极筹建抗日武装。是年春，日本驻上海领事馆为了瓦解中国抗日力量，挑起中国内乱，曾撮合国民党中亲日反蒋的中央委员，发给冯玉祥一份电报。大意是：只要冯玉祥赞成中日提携，打起反蒋旗帜，就可以要钱给钱，要枪给枪，要人也可以帮忙。我将电报送交冯先生过目，冯看了电文后，立即提笔写道："团结抗日是大局，无论如何，我们决不能同日本人合作。"态度非常明朗，彻底粉碎了日本军国主义的一次诱降和破坏民族团结的阴谋。

冯玉祥随后在察哈尔组织"民众抗日同盟军"，武装抗日，收复察北四县，把日军赶出察哈尔，举国欢庆，大长了中国人民的抗日志气，但由于蒋消极抗日，打击进步力量，使冯领导的抗日武装终归失败。1933年8月，冯玉祥怀着悲痛的心情到了泰山。在他的住室墙壁上题刻了"救民安有息肩日，革命方为绝顶人！"用以自勉。

1934年的除夕夜，右翼军官刘纯德带领两个手枪兵，闯进我的住室，要我立即离开，当即送我到火车站。我被赶走后，得知冯玉祥郁郁不乐，随手书一"丘八诗"："我思公干，品行姣好，我思公干，回来才好。"贴在墙上以示怀念。

后来我在去陕北途中，因叛徒出卖，在西安被捕。在狱中，我说服了一名原西北军的看守士兵，为我送出一封密信托一地下党员送给冯玉祥，说"我在西安病重，请二哥请名医诊治"。冯闻讯后，即修书三份，分别给杨虎城的参谋长李兴中、陕西省主席邵力子、省银行行长李维城，并派专人持函到西安设法营救。后我被解送南京转开封，1936年冯玉祥通过河南省主席商震，将我和其他几位同志从狱中救出来。

1941年1月皖南事变，蒋介石掀起第二次反共高潮，经德国驻华大使陶德曼穿线，日、蒋明来暗往，进行秘密谈判。日方提的条件是：宁渝合作，共同反共，恢复“七七”事变前的局势，成立联合政府，蒋介石下野，由亲日派何应钦主军、汪精卫主政。蒋介石除对“下野”不同意外，已拟接受谈判条件。冯玉祥得知后极为愤慨，立即找我商谈对策，冯说：蒋要投降，我就立即出走，一是到西北后方或苏联去；二是到延安去；三是到前线去。征询我的意见，我说：到西北或苏联去，既无意义，也不可能，因为西北远离抗日中心，是“马家”(马鸿逵、马步芳等)统辖之地，去了不易发挥作用，到苏联也过不去。到延安去，共产党当然欢迎，但到那里作用就小了，因为你的影响和部众都在蒋管区。我赞成你第三条意见，到前线去，组织包括国民党中爱国将士在内的统一战线，以实际行动给投降派迎头一击。冯说：好，就这么定了，宁渝一旦合流，我立刻就到前线去，誓和日、伪战斗到底。

冯玉祥题联谢良医

于传璧　魏　旭

“七七”事变前后，冯玉祥患了眼疾和坐骨神经痛。经多次治疗，效果欠佳。其下属某部军医张永玉医术精良，用自己精心配制的膏药贴敷数次后，二症很快痊愈。冯将军很高兴，热情称赞他“药到病除，医术高明”。张永玉素爱冯的书画，便趁此机会请冯给题字留念。冯欣然应允，于是，挥毫泼墨，用隶书在宣纸上写下了“欲除烦恼须无我，历尽艰难好做人”的对联。上款是“永玉同志纪念”，下款是“冯玉祥二六、七、十、泰山”。接着，又画了一幅“兰草图”作中堂，落款是：“空谷幽香，丁丑夏日画应永玉同志嘱，焕章。”书画毕，冯将军语重心长地说：“眼下，国难当头，抗日乃当务之急。无私无畏，不避艰险，正是我们特别需要的民族精神。特写此联，与君共勉。”

数十年来，张永玉一直把冯将军题赠的字画珍藏在家里，虽历尽坎坷，也不肯毁弃或转让。1984 年 10 月，张永玉临终前，把此字画无偿献给了河南省封丘县文化馆。

秋瑾和程毅

毛成身

清光绪三十三年(1907)六月初四日，在浙江省绍兴，发生了一起轰动全国的革命党案，这就是“大通学堂党案”。在此案中，浙江省的秋瑾和河南省的程毅先后壮烈牺牲。

程毅，原名秀申，字翘轩，河南省修武县城内新街人，出生于清光绪九年(1883)，清末秀才，后入河南高等学堂就读。当时八国联军在我国大肆抢掠烧杀，清政府与帝国主义签订了丧权辱国的《辛丑条约》。程毅面对严重的民族危机，忧心如焚。他认为要避免亡国之祸，必须推翻清王朝，振兴中华。

1906年春，程毅入天津北五省师范学堂，结识了当时力主以武力革命推翻清廷的革命党人胡瑛。在其影响下，革命思想日益增长，遂以联络同志、鼓吹革命为己任，积极进行革命活动。他“自斩其辫，诸堂执事，怒为不保国粹，罚退学。于是浮海抵沪，改入中国公学”。

在上海，程毅与谭心休、于右任、秋瑾、杨卓霖相往还，“浩气乃益振”，尤深慕秋瑾女士的革命精神。这年冬初爆发了萍、浏、醴反清武装大起义，秋瑾派程毅去天津进行联络。他的行为勇敢，受到革命志士的赞扬。

1907年正月，秋瑾被举为绍兴大通学堂督办，她与徐锡麟等光复会领导成员相约于五六月间在浙、皖等省发动反清起义。加紧了对各地会党的联络与骨干训练。就在这关键时刻，程毅应秋瑾之聘，充绍兴大通学堂学监兼体育教员。秋瑾对程毅“任之甚专，每事必与商榷”。他作为秋瑾的诚挚革命战友和得力助手，参加了在秋瑾家中召开的多次秘密会议，参与了武装起义前的各项准备工作。

秋瑾与徐锡麟组织的反清武装起义的密谋泄露后，六月初四日午后，清兵入绍兴，决心殉难的秋瑾遣散最后一批同志时，程毅等数人坚不肯去，率学生与清兵激战，终因寡不敌众，秋瑾及程毅等被捕。

秋瑾牺牲后，贵福为把革命党人一网打尽，

用各种酷刑拷讯程毅，逼供同党，甚至令跪以烧红之火链、火砖或用烧红的铁铲遍烙他的肤体，以致皮开肉烂，绝而复苏者屡。他虽被酷刑严讯十七次，始终未供出光复会一件事、一个人。清吏无奈，判处他五年监禁。

当程毅在狱中得知秋瑾牺牲的消息后，终日号泣，痛不欲生，并仿故乡河南民间《哭五更》曲调，填写五哭秋瑾诗词，表现了他对秋瑾烈士的无限敬慕与怀念。

清光绪三十四年(1908)夏、秋间，程毅被毒死狱中，年仅二十五岁。及尸出，鳞伤遍体，膝骨尽露，见者无不心酸落泪。1908 年 11 月 12 日在日本东京出版的革命刊物《河南》第八期，载《烈士程毅小传》，给予他很高的评价。

中州大侠王天纵

刘耀德　刘梦成

“中州大侠，有识之士”，是孙中山先生对河南绿林英雄王天纵的赞语。

王天纵，河南伊川鸣皋镇人，幼年即崇拜游侠武风，在镇上拜武术高手孟七为师。每日，使枪弄棒和练习射击，有一手百发百中的惊人绝技。天纵与师傅仗义疏财，救济贫困，过起绿林生活。

王天纵义旗一树，四方豪杰纷纷来投，不久，聚集千人。天纵召集众好汉，订立约法三章：(一)队伍一切费用，向附近各富户索取，山寨任何人不准私吞。(二)严禁奸淫妇女。(三)禁止抢劫农民。由于山规明确，主事公道，数百里内绿林好汉，均愿听从指挥。

1911 年，武昌起义后，河南革命党人，准备在洛举事响应，派人与天纵联系。王即率部八千人，北出龙门进攻洛阳。因清廷有备，于是年 10 月抵达潼关，与张钫(国民党元老)东征军汇合。

袁世凯篡国后，因慕天纵英名，设法召之进京，任为陆军中将顾问兼京畿军警督察处副处长。天纵不满袁的大捕革命党人，愤然离去。

张勋复辟，天纵气愤异常。曾对张钫说："我当了十几年山大王，就为的是打满清，参加辛亥革命也是要推翻满清，张大辫子逆天行事，不打他打谁？"遂率部攻打张勋公馆，逼张逃进荷兰使馆。

天纵敬仰孙中山，故弃官至沪，谒见中山先生。孙即任其为靖国豫军总司令。天纵受命后，即奔四川夔府，招集旧部六千余人，编为两个陆军师，日夜奔忙。终因积劳成疾，于 1920 年在川逝世。

“除死无大难，到乞不再贫”

刘梦成

当辛亥革命武昌起义的消息传到河南洛阳后，洛阳同盟会员刘果、杨少万、刘庆谕、白西庚、金炳光等，积极活动，发展组织。在他们中流传着一句共同语言：“除死无大难，到乞不再贫。”这句话充分表现出他们忠心报国的坚强意志。

袁世凯篡权夺取了大总统职位后，他们积极联络地方农民武装嵩县王天纵等武力，乘机响应反袁起义。洛阳农民领袖南大定和刘果、杨少万、刘庆谕、白西庚等在斗争中不幸先后牺牲。刘果住洛阳老城解元街(现鼎新街)，家境清贫，与黄克强有密切联络。他被捕后，被押解至开封府衙监狱，在狱中与审问官进行了坚决斗争。他义正辞严地痛斥袁世凯背叛革命罪行，并高声质问：“革命党人何罪之有?”狱官李清斋是洛阳人，劝他缓和一些，免受皮肉之苦。他断然说：“革命不怕死，怕死不革命”，狱官深为敬慕和感动。

临刑前夕，狱官以同乡之谊，敬以酒菜，并问有无所托？刘果说：“家有七十岁老母和妻子幼女，心中当然有些牵念，我写封书信，望你交

给我的母亲。”说罢，咬破手指，写了一封血书，血书是：“果为国为民而死，母勿为儿死伤悲！”次日，刘果烈士在禹王台英勇就义。

刘果殉国后，家境极为凄惨，其母与妻子因过度悲伤，相继去世。其幼女春杏，年仅六岁，由其舅父金炳光(亦同盟会员)收养。刘果烈士家庭的遭遇，在洛阳反袁斗争中殉国的几位英烈里是最为凄惨，最为乡里所深深痛惜的。

“学究”省长

杜慕堂 遗稿　刘家骥 摘编

张凤台，字鸣岐，清末进士。早年在辉县河朔书院求学时，同徐世昌结识。

徐世昌作中华民国总统后，于1920年6月任张为河南省省长。张系文人名士，到任后只专心于文化事业，堪可记述者有三：

一、借用开封刷绒街二曾祠地址成立“四存分会”(四存学会为徐世昌倡议在北京成立的文人社团，张在未任河南省长时系会长)，常约请名流学者在此讲学，并亲自参加学会的各项活动。

二、张嗜书成癖，筹资刻印了不少书。有《三怡堂丛书》、《中州杂俎》、《汴京遗迹志》等，又原版重印旧存的《经苑》十二函，分发各县教育局存储。

三、视教育为立国之根本，在军费开支浩大、常挤占教育经费的情况下，电请北京政府准将河南契税一宗专款存储，作教育专款，因有省“教育款产经理处”及各县契税经理局之设置。从此以后，河南省教育有专款，办了一件大好事。

除文化教育外，张对其他地方应兴革事项，则略不介意，不仅无政绩可言，且因放任其秘书长李学均(安阳人，张之门生)专权用事，卖官鬻爵，而声名不佳，时有“大缺三千，中缺二千，小缺一千”之传。后人称张为“学究省长”。

代省长就职受阻

王华农

北洋政府时期，军人横行跋扈，文人多束手无计。其最典型之一例，为陈善同代理河南省长、不能往省署就职之事。陈善同，字雨人，晚清进士，曾任翰林院编修，京畿道御史等。入民国后，当了几年河务局长。为官清廉，耿介不阿。民国十五年(1926)，吴佩孚任他代理河南省长，识者以为得人，当能有所建树。不料帮办河南军务米振标及其子开封警备司令米国贤虑陈就任对彼父子不利，暗中反对。在陈往省长公署就职时，竟出动军队，在鼓楼街、寺后街、行宫角一带

设岗布防,禁陈所乘之车通行,陈不得不返回寓所。后省城绅民代表出面调停,吴佩孚又电斥米振标,陈善同才得勉强就任视事,但公务一筹莫展,命令几乎不能出省署之门,未过多久,即称疾去职。从此急流勇退,脱离宦海。陈祖父陈梦兰,亦进士出身,曾任翰林院庶吉士、京畿道御史,故有“一门双翰林,祖孙两御史”之称。陈善同抗战初期尚在, 曾赠友人五言古风一首,有“诗文昔共远,风雨今同舟,砥砺夷齐操,吴钩志未酬”之句,爱国忧时,跃然纸上。

两任督军两重天

杜慕堂 遗稿 刘家骥 摘编

辛亥革命后的中原,继张镇芳(项城人,袁世凯姻亲)、田文烈之后,1916 年赵倜作督军。赵本系武人,属奉系军阀,只知扩充势力,素无政治头脑。到任后,鱼肉乡民。弟赵杰为其宏威军司令,尤骄横不法。其妾亦居中弄权胡为。某县知事车云,为求进身,巴结赵倜之宠妾,呈献绣花鞋两双,将姓名绣在鞋底,当时省城报纸对此丑闻曾有披露。

1922 年,奉直失和,驻军陕西的冯玉祥奉直鲁豫巡阅副使吴佩孚令,进军郑州、开封,赵倜兵败,逃往上海租界作寓公。

1922年4月，冯玉祥率部进入开封，被北京政府特任为河南督军。

冯玉祥到任后，励精图治，特别注意抓社会风气的改变：禁止奢华，穿绸缎者不敢出入官府与街市；禁止宴会、馈赠，饭庄因之歇业者不少；不许吸食毒品，甚至香烟也在禁止之列；驱逐相国寺的说书人出境，勒令会馆胡同及五龙宫一带妓女改业从良。

冯玉祥的这些措施，有的未免过激，但同赵倜时期相比，无疑是两重天地。

南京不如开封

王文耕

冯玉祥一身正气，快人快语，往往一针见血，入木三分。1928年，蒋介石把时任河南省主席的冯玉祥调往南京，委他当了国民政府军政部部长。半年之后，冯从南京回到开封，在人民会场对省会各界、各机关全体职员报告他在南京所见所闻，语多精辟。

讲话开门见山，头一句就说："南京的朝气还不如北京的暮气。我回来后，看到开封虽小，小得干净，南京虽大，大得肮脏。我每天一大早就到开封的大街小巷看看，到处还很整齐干净，职工也都努力服务，比南京强得多。"接着他把

话头转到自己身上，说："像我当个部长，成天开会吃酒席，搞得头昏脑胀。南京各机关的贪污浪费现象特别厉害。下班后尽是吃喝玩乐，上跳舞厅。听说宋美龄的一双跳舞鞋，就值二十多元(按：当时开封一般中等师范学生，每月伙食只需三元多钱)，用一次就不用啦；她的一双袜子，就抵普通老百姓半年吃喝。她每天都要过这种生活，我是过不下去，也看不下去的。"

谈到住房，冯玉祥说："我在南京盖了三间草屋自己住。这草屋就盖在南京市市长刘纪文阔绰豪华的大公馆一旁，他门上挂着'刘公馆'三个闪光耀眼的大字牌子，我的门口写'冯玉祥寓'。我本想这样会把他逼走，可到底也没有逼走他。"

驱"盐巡"

丁如钢

河南省内黄、濮阳等沿硝河一带村庄，到处是一片片泛白如霜的盐碱地。清末这一带村庄的群众常利用盐碱地生产硝盐，以资助生活。1932年，天津盐商为了提高海盐价格，在军阀的支持下派长芦税警缉私队(简称盐巡)来此制止农民生产硝盐，激起了当地群众的强烈反抗。我们地方党组织为了维护盐民的利益，决定领导盐民同盐巡开展斗争。

这年农历四月十六日，濮阳县西水坡的盐民代表找到我，也提出了与盐巡斗争的要求。他们说："西水坡有四百五十家农民靠晒硝盐生活，咱硝河两岸的农民团结起来一块儿跟他们干吧!"我当即答应了他们，确定在四月十八日统一行动。到了这天，我一大早就带领十八个村庄的八百多名盐民赶到了濮阳城，又迅速集合了当地的四千多盐民，在一个广场上召开了大会。组织这次大会的还有王从吾(解放后曾任中共中央组织部副部长)等。我在会上讲道："盐地是我们自己的土地，我们都是靠晒盐生活的，盐巡扒我们的盐池，就是想砸我们的饭锅，我们要一起同盐巡斗争，直至把他们赶走!"数千群众情绪激昂，一齐跪倒在地，发誓斗争到底。会后手持铁锨、棍棒、梭标的群众，在城内进行了声势浩大的游行示威，包围了巡警驻地"王家大院"，捣毁了门窗，捆绑了盐巡，并要求与县长亲自交谈。最后，县长不得不亲自出面答应撤走盐巡，表示不再制止盐民生产硝盐。为了庆祝胜利，我们还在这一带的千口村、沙窝村、新庄、西水坡唱了四台大戏。我和王从吾分别在戏台上讲了话。之后，我们又组织成立了周围十三个县的盐民总会，王从吾被推选为总会主席，我被选为总会副主席。参加总会的盐民共计八万余人，号称"十万盐民大军"。这场斗争曾震动了冀鲁豫三省，促进了革命斗争的发展，影响是相当深远的。

震惊中原一大案

王华农

民国三十一年(1942)春，河南省政府召集全省专员县长在洛阳开会，第十二区专员韦品方(孝儒)在下榻的复旦中学内，被人绑架，同时被绑走者还有韦的两个随员及复旦中学校长、教导主任和一名体育老师。

专员失踪，震动洛阳全城。省府主席李培基闻讯后，立即上报给第一战区司令长官蒋鼎文。蒋大发雷霆，以为长官脚下竟发生此等事，太丢面子。他把军警负责人及各特务机关头头找来，严令限期破案。经过一个多月曲折过程，最后终于真相大白。

主犯名赵理君，军统少将，任军委会华北战地督导团副主任。赵部下行动队长曹银屏，执行这次特殊任务。十二区(开封专区)专员韦品方的所属团队多在中牟县境黄泛区一带活动。赵部下人员至豫东沦陷区走私贩毒，与韦的团队时有摩擦，被韦的部下就地正法了数人，两下以此结怨。督导团侦知韦品方到洛阳开会，乘夜深潜入复旦中学校内，绑架了韦品方及其随员。该校校长、教导主任及一名教师，听到动静出门探听，被曹发现，曹恐走漏风声，也一并绑走，乘夜深人静，带到西工飞机场附近后，将六人紧绑，扔进一口枯井里；把井填了，在上面修起机关枪掩体。案破后挖井起尸，尸体均已糜烂，惨不忍睹。

赵理君、曹银屏被缉拿归案后，由第一战区中将执法监虞典书与省政府民政厅长方策联合审讯。赵理君自恃曾在上海先后暗杀过进步人士杨杏佛、申报董事长史量才以及为日军组织南京傀儡政府的唐绍仪，态度甚是傲慢。戴笠也曾亲到洛阳，为之说情。蒋介石迫于舆论，电令蒋鼎文处赵理君以极刑，就地执行。在宣判时，赵理君还傲慢地说："谁敢判我死刑，谅蒋鼎文不敢！"虞典书说："是总座的手谕。"当场把蒋来电宣读了，赵才垂头无语。

在赵、曹二犯被押赴刑场执行枪决的那天，笔者正在城内北大街，目睹了那种戒备森严的场面。数百名武装军警持枪实弹，分列马路两旁，中间两辆人力车上分别坐着赵、曹二犯，背上插着亡命旗。此等样人，平日作威作福，杀人如麻，何尝料及自身如此下场。

《看重庆，念中原》的风波

王　蕾

1942年，河南大灾，全省饿死三百万人，如此严重灾情，重庆国民党政府却不予重视。联系此事，1943年2月2日，重庆《大公报》发表了一篇题为《看重庆，念中原》的社论。大意为：传中原大灾，赤地千里，树皮草根，挖食殆尽，人民流离失所，卖儿鬻女，惨绝人寰；而重庆的豪富阔人对此置若罔闻，仍过其纸醉金迷、灯红酒绿的生活。看重庆之豪奢，念中原之苦难，有识之士，能不无感于衷？这篇社论触痛了国民党政府的神经，他们大为恼火，竟悍然勒令《大公报》停刊三日。河南人民有见此《大公报》社论者，无不拍手赞叹，争相转阅。为此，洛阳《行都日报》、《中原日报》均拟转载。为了通过新闻检查关，《中原日报》编辑部将此文剪报夹入一卷副刊稿件中送省新闻检查所，幸免注意，蒙混过关。社论是刊出了，但那位值班检查员却受到批评。《行都日报》未送检查自行转载，同《大公报》一样，也遭到"停刊三日"之处分。

王志远义阻扒黄河

路庭训

1947年，中国人民解放军转入全国规模的战略反攻。对此，蒋介石十分恐慌，为阻止解放军的反攻，密令第四绥靖区司令官刘汝明、第六十八军军长刘汝珍在考城扒开黄河。第六十八军中将副军长王志远看到密电后，星夜赶回开封，告知中共汴郑工作委员会书记刘鸿文。刘鸿文请示中原局后，要王志远速找刘汝珍，阻止六十八军扒黄河。王志远找到刘汝珍转告刘、邓首长的警告后说："扒黄河水淹人民及解放军，将永远被人民所唾弃，为刘氏后代着想，无论如何，决不要被蒋介石所利用。"王又进一步向刘说："你多次表示要和共产党交朋友，就要像个朋友的样子，你和刘伯承在苏联留学时是同学，将来怎样见刘将军？"刘汝珍听后表示："我一定顶住蒋介石的密令，决不作伤天害理的事。"刘汝珍还按照刘鸿文的建议，派几千民兵修了一下黄河大堤。这一斗争的胜利，对人民解放军战略反攻的顺利实施，对于保护考城及鲁西南和苏北根据地的千百万军民生命财产的安全，具有重要意义。

王志远看了蒋介石的命令，为什么急忙密报刘鸿文？原来王志远和彭雪枫、刘汝珍、路庭训都是冯玉祥创办的军官子弟学校(后改名为北京育德中学)的学生。彭雪枫在北京汇文中学就读时，王志远也在汇文中学。彭雪枫在汇文中学时参加中国共产党，对王志远的影响很大。1931年，王志远自费赴德国步兵专科学校学习，毕业返国，分配在山东韩复榘的第三路军和山东省政府任顾问。1937年6月，彭雪枫到济南开展抗日民族统一战线工作时，同王志远又有较多接触。

王志远任第六十八军副军长时，中共汴郑

工委书记刘鸿文、委员兼军事部长朱晦生、委员林恒等到开封后，受到王志远的保护。汴郑工委的任务之一，就是策动六十八军起义。刘鸿文在王志远陪同下，在开封、菏泽曾多次和刘汝珍见过面。1949 年 5 月 7 日，在江西弋阳，王志远率六十八军的八十一师全部和一四三师、一八一师部分官兵起义。刘汝珍逃往台湾。

以上情况，是王志远告诉我的。我曾在六十八军任过上校秘书长。

豫西南的“独立王国”

刘家骥

1930—1940 年期间，河南西南边陲的镇平、内乡、淅川、邓县乃一国民党政府也奈何不得的独立王国。在这方土地上，施行地方自治，有一套它自己的制度与法令，社会秩序相对稳定。

1930 年，任冯玉祥西北边防督办公署秘书长、学识渊博的彭禹廷回到镇平，组织民团，驱除反对势力，联合内乡的别廷芳，淅川的陈重华及邓县的有力人物，成立四县联防，创办宛西乡村师范，大力推行地方自治。“王国”从此建立。

1933 年，彭被暗杀，别廷芳以其军事实力为资本，继任联防主任、宛西乡师董事长兼校长。

别廷芳同彭禹廷不同，他从乡勇起家，只粗

通文字,也没有什么政治头脑。但因受彭禹廷的影响并继承其事业的缘故,身边却很有几位思想进步、才识过人的顾问和助手,因之得以使“王国”的事业有所发展,而成为现代中国历史上一特殊人物。

我1939年在迁往内乡的开封高中读书。此时,抗战已爆发,为适应形势,“王国”同国民党政府的关系有所缓和,大门开始打开,但情况虽有变化,它仍有不少与国民党政府其他地区特异之处。

别廷芳这时已被国民党政府任命为宛属十三县国民自卫军司令,但他在镇、内、淅、邓四县仍然是至高无上的统治者。1940年,第一战区司令长官卫立煌邀别廷芳到洛阳开会,在会上被削减军权,并受到汤恩伯的指责。回内乡后他召开会议决定:南阳所属各县组织活动队、暗杀团,拦路截杀国民党派来人员。他在会上说:“杀他个路断人稀,三个月后,再来找我们说话,看到底谁厉害?”会后不久,口吐鲜血而死,“王国”也因之瓦解。

位于内乡天宁寺的宛西乡村师范,乃一特殊学校。它不仅聘请了许多外地的学者来任教,它还实际上是这一王国的决策机关与指挥中心,许多重要会议均在此举行,深受别廷芳器重并为之策划的共产党员罗卓如,就是该校的常务董事、国文教员。

内乡有自己发行的钞票,印刷虽粗糙,当地人对它的信任却有时会超过国民党政府的纸币。

“王国”内除有常备民团外，还有后备民团，农民闲时集训，忙时务农，几乎全民皆兵。团长、营长、连长是地方上最有权势者。法制很严，确实实现了“路不拾遗、夜不闭户”的局面。

还值得一提的是，别廷芳住地内乡西峡口有一水电站，当南阳国民党政府专署所在地还只能用油灯、汽灯照明时，这群山环抱的小镇夜景，却别有一番璀璨景象。

康有为赞《龙门二十品》

刘耀德

洛阳龙门石窟是我国古代佛教三大石窟之一，它不仅有十万余尊石佛造像，而且有造像记和碑碣三千六百多块。尤其是《龙门二十品》，更是驰名中外，是我国书法艺术宝库中的精华。

所谓《龙门二十品》，就是龙门石窟中二十则造像题记的统称。《龙门二十品》，除了慈香窟中的慈香一品外，其余的十九品，都在开凿最早的古阳洞窟内。

《龙门二十品》是魏碑体的代表作品，其特点是字形端正大方、气势刚健质朴，结体用笔在隶、楷之间。特别是慈香碑一品，它在二十品中与众不同，它从沉着凝重的魏碑中脱胎出来，变得潇洒自由，奔放无束，用笔柔和、爽利，且有弹性。慈香碑这种别具一格的风采，颇得人们赏识。康有为曾赞不绝口地说它“如公孙舞剑，浏亮浑脱”，“其为章也，龙蟠凤舞，纵横相涉，阖辟相生，其章法之绝轨也”。

康有为还按照《龙门二十品》的艺术风格，把它分为四体：杨大眼、魏灵藏、惠感、道匠、孙秋生等沉着劲重为一体；解伯达、齐郡王元佑，峻骨妙气为一体；尉迟、贺兰汗等端方峻正为一体；慈香、安定王元燮，峻宕奇伟为一体。

《龙门二十品》之所以为世人珍视，在于它的质朴遒劲、独具风格，它是中华民族书法上光辉的一页，它像一颗璀璨的明珠，闪烁在祖国五千年历史的长卷上，令人敬慕、令人神往。

鲁迅与《河南》杂志

王华农

1907年12月，为宣传孙中山革命思想，河南籍同盟会员在日本东京创办《河南》杂志，由张钟端任总经理，刘积学(建国后任河南省文史研究馆第一副馆长)为总编辑，革命志士刘青霞拿出巨资两万元赞助。《河南》杂志以其鲜明的民主革命派之政治立场，与高举思想文化批判大旗的战斗风格，引起巨大反响，为当时留日学生出版之进步刊物中销路最广、影响最大的刊物之一，出版至第十期，被接受清廷驻日使馆之请的日本警署勒令停刊。出刊《河南》时鲁迅正在东京，《河南》杂志社由孙竹丹通过周作人与鲁迅取得了联系，以后，鲁迅、周作人及许寿裳等均成《河南》杂志撰稿人。鲁迅先后在《河南》杂志上发表《摩罗诗力说》、《人之历史》、《科学史教篇》、《文化偏至论》等六篇文章，以鲜明的反封建反专制立场进行思想文化批判，鼓吹民主革命，表现了青年时期鲁迅(时方二十七岁)的进步思想与战斗精神。

辛亥革命时期的开封大河书社

张　瑛

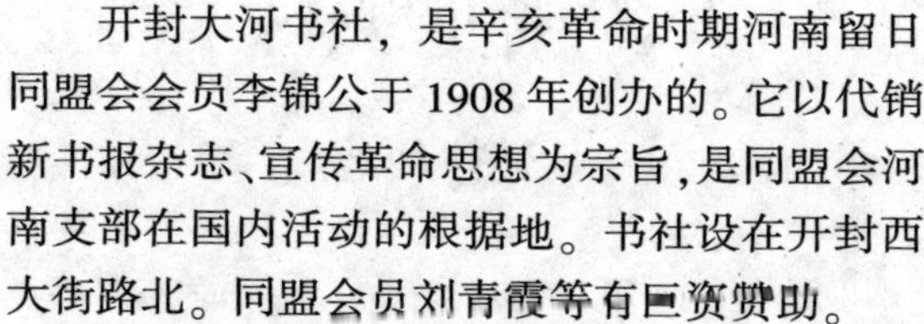

开封大河书社，是辛亥革命时期河南留日同盟会会员李锦公于1908年创办的。它以代销新书报杂志、宣传革命思想为宗旨，是同盟会河南支部在国内活动的根据地。书社设在开封西大街路北。同盟会员刘青霞等有巨资赞助。

当时河南留日学生出版的杂志除《河南》

外，还有《豫报》和《中国新女界杂志》等，这些杂志都通过大河书社源源不断地输入到本省。其中输入量之多以《河南》杂志为最，对河南人士革命思想之开发，很起作用。

大河书社又是1911年开封举义的根据地。武昌起义前，河南同盟会员张钟端等从日本回国，以大河书社为根据地，秘密组织同盟会河南分会，积极策划河南光复运动。李锦公的弟弟李干公任大河书社的招待员，后因此而被捕殉难。武昌一声炮响，各省纷纷响应，张钟端等也商议于大河书社，决定1911年12月22日(农历辛亥年十一月初三)夜举事。不料事机泄漏，起义失败。

1912年3月，袁世凯就任临时大总统，任命其姻亲张镇芳为河南都督，大河书社亦随之被迫停业。

大河书社虽仅有短短三年的历史，但它却是辛亥革命时期河南留日学生追求真理、宣传真理的见证。

张嘉谋与明嘉靖本《南阳府志》

杨松如

张嘉谋(1874—1941)，河南南阳人，字仲孚，出生在书香世家，自幼学习刻苦，成绩优异，十七岁补为诸生，清光绪二十三年(1897)中选拔贡，后又中乡试举人。历任陕州三门书院、淅川丹江书院讲席，官至内阁中书。

民国成立，张嘉谋跟上时代潮流，拥护共和，曾任河南省议会副议长、国会议员、河南博物馆馆长等职。他的主要贡献是纂修地方志和热心教育事业，先后办学校十余所。他首先重修《南阳县志》，六年时间，四易其稿，成书十二卷，三十余万字。嗣后陆续纂修过《孟津县志》、《西华县续志》、《巩县志》、《续安阳县志》、《方城县志》等。年逾六十，又校注明嘉靖本《南阳府志》，该志是明嘉靖七年(1528)杨应奎所修，张霈补遗，明嘉靖三十三年(1554)分十二卷刊行。1939年唐河人李椒园在北京发现此志孤本，请张嘉谋整理校注。张不顾年老体弱，以三年时间，订疑存真，每段正文之后有校注，注释详实，文字通俗易懂。校注文字占全书百分之七十，实为校注志书中之上品。终因劳累过度，不久即与世长辞。现阅读该志，赞佩其治学严谨之情，仍不禁涌上心头。

《中州文献》

王　蕾

自号“水竹村人”的徐世昌，虽是直隶省人，却生在卫辉，长在开封。他在开封旗纛街有所宅院，住过很长时间，因此对直、豫两省感情很深。民国四年(1915)，徐世昌任北洋政府国务卿(总理)，提出倡议，纂修清史，筹措经费，在北京成立清史馆，聘中原耆儒李敏修(时灿)为协修。在河北、河南二省分设征集处。河南方面名“中州文献征集处”，由李敏修负责，经费由徐世昌、张凤台、张镇芳、刘镇华等资助。为加强文献征集工作，于省会开封设中州文献征集分处。以南阳张仲孚(嘉谋)任总采访，在全省各县开展工作。后在李敏修主持下，邀请一些饱学之士，将征集到的图书、资料、手稿等进行整理、编辑。先后编成《中州艺文录》、《中州先哲传》、《中州文征续编》、《中州诗征》等，成为一套规模可观的丛书。在30年代初，由开封马集文斋刻字局刻印出版，直至1936年初才告出齐。此乃民国时期河南出版界一件大事，惜仅印三百部。河南大学图书馆现存一部。

名士校书

王文耕

据开封马集文斋刻字局掌柜马志超老人谈：他于30年代，刻印《中州文献》这部丛书时，总校对是固始万自逸与商丘井俊起(建国后任河南省文史馆馆员)。二人一是晚清进士，一系举人，均中州名士。校起书来兢兢业业，一丝不苟，为保证一字不误，他们不若通常那样，自上而下核校，而是逐行由最末一字往上校起。自说："这样就不至顺文校读，让错字滑过去了。"盛夏，两人均着纺绸大褂，对面正襟危坐，淌汗如雨，一手挥扇，一手持笔，孜孜不辍。时久眼花，闭目稍顿，仍又工作。二老中州宿儒，敬事如此，可谓楷模。

刘海粟题联赠学生

张绍卿

1924年，上海美专校长刘海粟，因在绘画课使用模特儿，遭到了封建守旧势力的反对和攻击，以至发展到操纵学生罢课闹风潮；军阀孙传芳也下令通缉海粟先生。但刘不畏强暴,继续坚持办学,并仍使用模特儿授课,力主改革创新。这时,一部分家庭困难的河南籍学生,深感学习机会难得,惟恐时光无端流逝。于是,几个河南学生谢孟刚、焦端初、刘诚甫、雷吻虹等发起护校,拥护热心培养学生、力主改革创新的刘校长,提出尽快复课,得到绝大多数师生的支持。

风潮平息以后,刘校长对有正义感且刻苦学习的谢孟刚、刘诚甫等十分器重,亲书对联和中堂相赠。给谢孟刚的对联为“开张天岸马,奇逸人中龙”;中堂是仿唐寅山水,并署“孟刚弟指正”。给刘诚甫的对联为“旧云浮黄鹤,碧落跨青鸾”;中堂是模王铎《拟三元帖》字体,署有“诚甫弟指正”。

1928年7月毕业时,谢孟刚在学校举办的晚会上,用钢琴独奏了贝多芬的《第三钢琴协奏曲》、《悲怆奏鸣曲》和《月光奏鸣曲》,博得掌声四起。刘校长说:“弹得好!首屈一指。”刘校长在出国前夕,还为刘诚甫正在编写的《音乐辞典》题词,以资鼓励。

吴法鼎和刘海粟的友谊

张绍卿

吴法鼎,又名吴新吾,河南省信阳县吴家

人，是我国最早赴法国学习美术的留学生之一。

吴法鼎归国时，正是“五四”运动爆发后，他应当时教育总长、北大校长蔡元培的邀请，在出任“北大画法研究会”的油画导师及北京美术专科学校教务长的路上，遇到刘海粟从上海到北京讲学，两人一见倾心，结为知己。刘海粟在京常同吴法鼎一起外出写生作画。他对吴法鼎的才学和人格很敬重，称其为“伯兄”，对吴法鼎的绘画艺术极为推崇。1922 年，刘海粟应邀在北大讲演，其题目是：“现代欧洲画坛之新趋势”，对于其中的疑点，他谦逊地请教吴法鼎，吴法鼎也诚挚认真地谈本说源。讲演那天风很大，吹得看不见对面的人。吴法鼎却很早去陪伴海粟先生演讲。吴法鼎看不惯当时北京美专校长郑锦的一任私戚、滥施职权、打击优秀学生的行为，常向刘海粟表示自己的不满与悲情。两人曾一起游泰山、曲阜，谒孔陵，一起在西湖丁家山康庄避暑、作画，友谊十分深厚。

1923 年夏天，吴法鼎应邀去刘海粟创办的上海美专作暑期学校讲学。阴历六月正值酷暑，吴法鼎每日按时登讲坛，“虽汗流浃背，毫无倦怠之意”，他教学很认真，对自己的讲稿，讲前必慎审，虽一字之错，也必斟字酌句地修改。刘海粟对吴法鼎甚为敬重，邀他赴杭入山避暑，吴法鼎婉谢道：“等所讲完了始能如愿。”

1923 年 9 月，因郑锦开除十多名优秀学生，其中包括当时在美专中学部学习的当代大雕塑

家刘开渠，引起了教授李毅士、王悦之等的相继辞职。吴法鼎赴陕考察归来，未来得及休息就赶到学校与郑锦力争说："国家立学，乃为培养人才也，今不以学生行为为尚，而视个人喜怒为进退，此种学校，乃若个人之装饰品而已！"但郑锦顽固坚持己见，吴法鼎决意辞职并在众人前发表宣言说："美术学校照郑锦那样办下去，就是再办十年、廿年，恐怕不会有什么生色，负国家每年十万余金的国款事犹小，误青年学生和中国艺术发展前途真不得了，我们决不同这乌合的北京美专合作，且看郑锦横行到几时！"这时刘海粟闻讯专程赴京，聘请吴法鼎为上海美专教务长。

吴法鼎对于青年时代的海粟先生的英才、抱负很是赞扬和鼓励。他曾称海粟先生为"中华艺术界之导线"，称赞他："以汝之英年，汝之志愿，而得天下宗仰，吾国艺术之兴，可立而待也。"吴法鼎在逝世前三日，还亲作一国画赠与海粟先生。吴法鼎逝世后入殓时，刘海粟用红漆在吴法鼎的柩额上亲书："大艺术家吴公讳法鼎之棺"十一字，以示哀悼。

看齐白石作画

吕宜园

我自幼喜爱书画。上大学时，就对大画家齐白石非常景仰。1943年，我随老同学侯镜如(全国政协副主席，时任九十二军军长)从军参加抗日，任他的秘书。1945年日本投降，我又随军到了北平，住在石驸马大街。这里离西单跨车胡同齐宅很近，骑自行车十多分钟可到。

有一天，齐老的湘潭县同乡、时任九十二军政治部主任的侯吉晖和他的几个同事应邀到齐宅小酌，约我同往。我们受到齐老和他的护理夏文姝女士的热情接待。在中院北屋里，已备好酒席。地上摆满了画，墨色淋漓，还没干透，在那里晾着。这是我初次欣赏齐老的作品，大饱眼福。吃过饭，我向齐老要一幅画，齐老欣然答应。只见齐老凝神站定，濡染大笔，饱蘸西洋红，先画了两个大桃；再换笔蘸墨，画了枝叶；但见桃大如斗，颜色浓艳，顿觉满室生辉。我说："久闻齐先生画虾精妙，可惜我没见过，殊为遗憾；只是今天先生太累了，我不敢再麻烦了。"谁知齐老并不答话，又取出一张纸，贾其余勇，几点几抹，又画了九个大虾，生动逼真，神态各异。

那次雅集之后，齐老曾写七律一首相赠：

蓬门长闭院生苔，多谢诸君慰老怀。

高士虑危宜学佛，将官识字本多才。

受降旗上日无色，贺喜樽前鼓似雷。

莫道年高无归处，眼前又见太平来。

我不揣冒昧，步原韵和诗一首，最后两句是“若许樽前称弟子，不辞旦暮叩门来”。其后，我成了齐老的常客。

闲谈中，我曾问过齐老：“您的画，无论山水、人物、花鸟、草虫，无不精妙，不知以画什么为最擅长？”他说：“我的画从六十岁以后就退步了，惟有画虾，直到现在仍不断地进步，从未停止过。”齐老拿起大笔，先在调色盘中把墨调匀，又从小水盂中舀出一勺清水滴入笔头的根部；笔尖向左，笔头与桌面略呈40度角，然后用力一捺，因根部被那一滴水冲淡，现出一个极淡的圆点；随手在点的右下角补的一笔，一半压住前一笔，一半露在外边，斜入虾头的尖部，并两侧各点了一下。以后，卧着笔，一节套一节地，以向上隆起的形状画了六节作为虾身，再趁势往前一拉，又侧着笔上下两抹，作为虾尾，下边添上足和螯。然后用更浓的墨添上虾眼，又在头的背部点了一下(据夏女士介绍，这一点是虾吃进去的“食”)。至此，正面该画虾须了，齐老才换用小笔，由虾头的前部向后撇了几条长须，一个大虾就完成了，一共还不到一分钟。娄师白说，齐先生画虾有个特点，都是头朝左，我所见到齐老画的虾也确实如此。一次我就把娄师白的话给齐老

一说，谁知齐老把纸一翻，在背面又画了一个头朝左的虾，但再翻到正面，虾就头朝右了。翻一下纸不过一举手之劳，固然很容易，但如哥伦布之立鸡蛋，他人尽虑不及此，那就难能可贵了。

我曾向齐老表示愿为“弟子”，齐老除了指点我如何画虾外，还先后赠我十多幅画，并特意为我刻了一名一字两方图章。几十年风风雨雨，那些画已丢失净尽，只有那两方章子还在我手中。

我跟齐白石学画

李霞生 口述　潘长顺 整理

我在京华美专上学时，很幸运，画坛泰斗齐白石和画山水的吴镜汀，画人物的徐燕荪，画工笔花鸟的于非闇，画小写意的李鹤畴、赵梦珠、王君异(王惕)，画大写意的李苦禅等名家都是我的老师。邱石冥先生是我的启蒙老师，邱三十多岁就已成名，画月季是他的特长。他说：“开始作画，一定要从临摹着手，注意稿本的色彩配合，笔墨运用和笔法结构，依样画葫芦，丝毫不苟，纯熟以后才能自由发挥。”我受益匪浅。

学了一段时间，我觉得画小写意不如画大写意，便转过头来同张丕振一起往齐白石老师家中求教。齐老师很客气地说：“我看小写意是绘画的基础，没有这样的基础，作大写意是很困

难的。”我答道:“为了抓紧时间学习,我想学习大写意,求老师收容指教,以便上进。”齐老师笑了,走到里间屋拿出他画的条幅,让我和张丕振看,画面是马尾松上趴着一只松鼠向下窥视,笔墨酣畅、形神十足,丕振说:“齐老师真神手也。”

我把齐老师画的松鼠拿回家,夜深人静仍不肯住笔地临摹。

一天,带着自己的临摹稿子让齐老师指教。齐老师仔细看后笑着对我说:“你为什么将松鼠的胡子都拔去了呢?”这时我才发现自己粗心大意。齐老师此时已有六十七八岁,他在课堂上授课时,十分注意示范。教画雏鸡,他看学生画得不对,便在空白处给添上个雏鸡,或者点上一两笔,让学生看。但每下一笔,必定在旁边写“白石”二字。他添的虽很好,但整个画的构图破坏了,同学们便只有将画丢弃了。我和丕振便将这些画拣起,剪下贴在一个很干净的本子里。久而久之,集成一册,拿到齐老师家,请他题写书皮。齐老阅后大奇,笑道:“好!你们有办法,要保存起来作样本,将来会有前途的。”

为收存齐老师的作品,我在课堂上,见他走过来,便故意在用笔上弄鬼,该往下画,偏向上戳,他见后连忙纠正:“咦!——不是这样的,不是这样的!”我连忙伸笔铺纸,请他画个样。有一次他临场挥毫,一棵白菜画得十分出色,我连忙要过来,收入样稿集。

梁苑画师邹廷銮

桑　凡

邹廷銮字君辂，为清初名画家邹一桂后裔。髫年随其父邹雪和来豫作幕，后寓开封。清末举人。民初，曾任北洋政府职员，以不仰上峰意去职，而为某企业司笔札。抗日时期，开封沦陷，企业被敌占，遂以鬻画为谋生之道。

先生画风古秀清逸，标举骨法神韵。与门人论画谓："画须有山林气，不食人间烟火。"尝见题画曰："昔游济宁与项蔚如论画，以遣景为上；若斤斤于分花布叶，便入画师魔道。"

沦陷期间，尝见先生画一巨石，石前一人向石作揖拜态，章法颇奇。予以此画为米颠拜石图。先生谓："你读读题的诗便知吾意。"时隔四十余年，此诗只忆得三句："破碎河山正费才，使君(指巨石)埋没卧荒苔，×××××××，无数苍生望汝来。"流露了先生痛河山的破碎，盼有补此山河之巨石。

先生精研声律，曾著《豫剧考略》一卷。著名京剧小生姜妙香即从先生学画。京剧演员沈曼华、费雯之，豫剧演员时倩云、陈素真皆出先生门下。以姜妙香功力最深厚，不惟画佳，书法亦颇雅逸。其绘画作品也和他的精湛的表演艺术

一样，应予充分肯定，惜画名为艺名所掩，不为世人所知。陈素真能作折枝画卉，但谈不上笔墨情趣，稍具形态而已。

汲县经正书舍及图书馆

李怡山 供稿　陈景秋 整理

清光绪二十四年(1898)，汲县李敏修、王筱汀、高幼霞三人感于地方贫僻，藏书家少，见闻寡陋，为砥砺学行，转移世习，乃联合同志，醵金购书。邑中文人学士闻风响应，每人捐银四两，李敏修捐其任车马局总董的薪金，共捐一百两。适王筱汀赴北京朝考，托他顺便购买经史子集及新出版的西洋科学译著凡数百种。初时书籍暂存李敏修书斋，知府于沧澜书“经正书舍”匾额。书舍规定舍友可以借阅书籍，互阅学习心得，李敏修、王筱汀负责批阅每人的读书札记。

至光绪二十六年(1900)，要求入舍就学者已不止汲县人，需要扩大书舍。知府于沧澜转呈省当局备案，并捐送银两，经过李敏修等人积极多方募捐，共集银二千五百两，以六百两购买城内西门里苏朝宗故宅作书舍。是年秋，兴工修建书舍、圭壁堂、藏书楼、会客厅、员工住室、庖厨、厕所、门房一应俱备。书舍建成后，舍友推李敏修为舍长(不要酬金)，郭亦琴任副舍长，王筱汀等六人轮年主持会务，并设有监院，处理书舍日常事务，设司书一人，斋夫二人。

光绪三十二年(1906)科举停，学校兴，书舍适应时势，创办师范班，先后毕业两班一百余人。民国六年(1917)北京政府内政部来汲县拍卖公产，县文庙在拍卖之列。“经正书舍”董事会筹资购买了县文庙，筹办图书馆，选高幼霞为馆长，开始将文庙改建为图书馆。将原崇圣祠、训导宅作藏碑碣之所；原明伦堂作集会讲演之所；大成殿存善本书，东西两庑藏普通版本书籍；戟门改造为阅览室。新建图书出纳室、员工住室。泮池养鱼，隙地种花，以供览书之余休憩观赏。竣工后，将“经正书舍”图书全部移入馆内，又新购木刊古书等，共分经、史、子、集四部。经部有易、书、诗、礼、春秋、孝经、尔雅、四书、乐、群经经解等10类70种。史部有正史、别史、杂史、编年史、纪事本末、奏议、传记、地理、政书、谱录、金石、史评等12类190种。子部有儒家、法家、兵家、释家、道家、医家、农家、杂家、小说家、天文、算法、艺术等12类140种。集部有总集、别集、词曲、楚辞、诗文评等5类180种。另有新出版之图书共约787种。

民国二十一年(1932)李敏修由北京返里，对图书馆重作整顿，广订全国各地报刊杂志，对汲县文化教育事业起了很好的促进作用。

汲县沦陷后，书籍散失殆尽，图书馆亦名存实亡。

鲁迅由京赴陕途经河南

范志亭

1924年暑假前，陕西省教育厅和西北大学举办了“暑期学校”，邀请专家学者讲学。“暑期学校”的专使王捷三去北京邀请了鲁迅等人。鲁迅也因欲写一部关于杨贵妃与唐明皇的爱情长篇小说，想借机到唐朝故都进行考察，慨然应邀。7月7日，他由王捷三陪同，登上南下的火车，同行的还有《晨报》记者孙伏园、《京报》记者王小隐、北京师范大学教授王桐龄、北京大学理科学长夏元等。

8日下午，鲁迅等人抵达郑州，寓居大金台旅馆。当晚，鲁迅先生不顾旅途疲劳，与几位同伴者到城内游览。时值郑州一带两月未雨，田土龟裂，禾稼萎枯，无可奈何的郑州市民们正关闭南门，杀猪宰羊，向老天求雨。说来也巧，就在鲁迅他们来到的当天，天空中却飘来云朵，淅淅沥沥下起小雨来。目睹这一切，鲁迅增加了不少感慨。

在郑州留宿一夜，翌日上午十时许，他们又登上西去的列车，晚上十时到达豫西陕州，这里为当时陇海铁路最末的一段。陕西省长公署秘书兼西北大学英文系讲师张辛南受省府和学校委托，已先日到达迎候，到车站迎候的还有先期到达的东南大学教授、国文系主任陈钟凡、政治系教授刘文海等。鲁迅一行下车后，即住进耀武大旅馆。陕州名为州城，实际街市简陋。次日天刚亮，苍蝇就成群结队地飞来，嗡嗡之声不绝于耳。大家便你一言、我一语地说起来。鲁迅愤激地说："《毛诗·齐风》所咏：'匪鸡则鸣，苍蝇之声'，于今朝验之矣。"

谈话中，夏元谈起了他在洛阳时造访过直系军阀吴佩孚的事。吴问他在北大教什么课，他答："担任新物理中电子研究。"吴指壁上悬挂的八卦图问："此中有阴阳变化奥妙，能为我阐述否？"夏啼笑皆非，只好搪塞说："此旧物理，与新物理非一事。"吴仍故作聪明，说："旧有旧的奥妙，新有新的道理。"夏说完后，听者无不大笑。鲁迅鄙夷地说："这也是苍蝇之声耳。"

当东南大学教授刘文海说他担任的课程是研究国际问题中的"大国家主义"时，鲁迅便问："是帝国主义吧？"接着说："其扰乱世界，比苍蝇更甚千百倍。"

由于铁路中断，他们决定乘船。10日清晨，鲁迅一行十七人分乘两只大货船溯河西进。

12日清晨，大风不止，船继续在艰难中前进。据鲁迅日记记载，只能"雇四人牵船以进"。同行的陈钟凡回忆，由于风狂浪大，船身摇荡，"榜人(即船工)裸体入水，与逆风相搏，二时始脱险"。当日夜，船只停泊在阌乡。

13日下午，鲁迅一行抵陕西潼关。从陕州到潼关仅一百八十里水路，却走了四天。14日晨，鲁迅等乘汽车到达西安。

鲁迅在西安滞留二十二天，讲演十余次，又游览了华清池、碑林、慈恩寺、孔庙等名胜古迹。8月4日晨，他和孙伏园、夏元二人离开西安归返，由渭水乘船东行，一路经渭南、华阴、潼关等地，8日夜又泊于河南阌乡。9日中午达灵宝境内的函谷关。为了观瞻这个千古险关，船临时靠岸。鲁迅同孙伏园健步登上南岸，走一里许，只见甬道两旁峭石壁立，枣林间杂，至关前，则关楼突兀，山势合拢若函(匣柜)，两山阙处，立有两块石碣，文字斑驳难辨。据说是“夏直臣关龙逢墓”和古函谷关令尹喜望候老子的地方，看完险关，鲁迅在归途中拾石子二枚以作纪念。下午，船进陕州，仍寓耀武大旅馆。

10日晨，鲁迅同孙伏园登上火车，午后到达洛阳，投寓洛阳大旅馆。稍事休息后，他们同游街市，只见市内一片萧条，古董铺有几家，但货物不多，赝品却不少。鲁迅买了汴绸一匹，泥偶人两个，在景阳饭庄吃了晚饭便匆匆回馆。

次日晨，鲁迅同孙伏园乘车离开洛阳，当日上午到郑州，他们仍临时下榻于大金台旅馆。稍停留，又看了几家古物商店，这里的古董还不如洛阳，所列大抵赝品。当晚，他们便登车北进，离郑回京。

河南省第一次现代书画展览会

张绍卿

1934年春，河南省政府为了弘扬祖国文化艺术，提倡并奖励书画艺术，特征集现代书画作品，举办河南全省现代书画展览会。在省政府的行政计划中，列有河南全省现代书画展览会一项，由省教育厅负责筹办。教育厅在春三月成立了展览筹委会，由教育厅长齐真如任会长，委聘王用吉、李馨佛、王海涵、关百益、孙环卿、何鹤平、刘昌五等为筹备委员，襄助办理一切筹备事宜。制定了展览会章程，规定展览会征集范围为书法、国画、西画三类。凡中国国民及各国侨民当时住在河南者，皆得以其作品应征。每人至多十件为限，并自行装潢。征集作品期限两个月，自1934年8月1日起至10月1日止。由教育厅长齐真如聘请书画专家7人，成立了评判委员会，制订了展览会的评判规则和奖励种类。于1934年10月10日在河南省博物馆举行展览，展出书画作品1500多帧，获奖者264帧。其中，书法类64帧，国画类169帧，西画类31帧。分别给予奖金、奖品、奖章、奖状等奖励。1935年，

齐真如邀集书画专家选出优良杰作200多帧，由省博物馆长关百益、教育厅秘书李馨佛从事编辑出版，名为《河南省书画展览会书画册》。

朱芳圃与古文字研究

邢治平

朱芳圃，字耘僧，湖南醴陵人。清华大学研究院国学门毕业。在学习期间，从王国维学语言文字学和甲骨文。

1931至1936年，他被聘为河南大学、东北大学教授。1938年后，他继续在河南大学文学院文史系任教，曾开设有文字学、甲骨学、训诂学、考古学、说文研究等课程，全部教材均为自编。所编甲骨学内容包括有导言、文例、事类、商史、卜法、器物、余论等各个部分。在甲骨文研究方面，他编纂有《甲骨学文字编》和《甲骨学商史编》两书。前者1933年由上海商务印书馆出版；后者1934年由中华书局出版。两书虽系荟集各家之说，但皆精校原文，使无歧义，在古文字学和古史研究方面均有重要贡献。如《甲骨学文字编》集可识之字834，较之罗振玉《增订殷墟书契考释》增274字；较之商承祚《殷墟文字类编》增129字，等等。

在文字训诂方面，他著有《殷周文字释丛》约

20万字，解字181，分上、中、下三卷，内容多系纠正旧说、另立新解。他认为古文字多为图画与语言结合的产物，其形成约在新石器时代后期，文字结构多反映当时社会事态。如金文“甫”字，像兽被杀后从胸前劈开分为两半，分量相等。

朱先生的甲骨学论著亦得力于孙诒让，因之他对孙诒让的学术思想和家世亦有较深研究。他在所写《孙诒让年谱》和《“原名”述评》中，既肯定其在学术上的卓越成就，亦指出《原名》中所出现的强为离析之字，并加以纠正。

1973年9月，他病逝于湖南株洲市故居。未完成的遗稿尚有《中国古代神话与史实》、《宗彝图铭考释》、《古文字学》等。其中《中国古代神话与史实》一稿，经王珍同志整理，已于1982年由中州书画社出版。

徐玉诺与于赓虞

刘家骥

在新诗发展的初期，河南有两位活跃的诗人：徐玉诺（1894—1956，鲁山人）与于赓虞（1902—1963，西平人）。

1920—1921年，两人同在开封第一师范上学并相识。两人创作的旺盛期都大致在20年代，为期都不长。徐玉诺从1921年开始发表诗，到1924年以后，就在诗坛上消失了。50年代虽又写诗，但过于俚俗，已不大引人注意。于赓虞也是在1921年开始写诗的，至1934年诗集《世纪的脸》出版后，创作就很少了。

两人的诗风、性格、经历之不同，十分明显。

于有"魔鬼诗人"之称。第一本诗集《晨曦之前》原名《野鬼》，1921年出版的第二本诗集和另一本散文诗集，名称分别是《骷髅上的蔷薇》、《魔鬼的舞蹈》，都阴森有"鬼"气。他所写的诗也都过于忧伤、绝望。

徐有"怪人"之称，他耿直，富于正义感，常任性而为。合则来，不合则去，飘泊无定，足迹几遍全国。他的诗虽也有忧伤，但不绝望，不乏理想与追求。

于在天津汇文高中读书时结识焦菊隐，成莫逆之交，同焦和万曼等成立文艺团体"绿波社"；在燕京大学上学时，又结识徐志摩、闻一多、朱湘、刘梦苇等人，共同创建《北京晨报·诗刊》社，在文艺界交游较广。

徐同郑振铎、叶圣陶有交往，是文学研究会会员。

于舍诗之后，到英国留学，潜心于英国文学的翻译、教学与研究，成就不下于诗；徐除写诗外，兼写小说，他走上文坛的第一篇作品却是于1921年1月在《晨报副刊》上发表的短篇小说《良心》，在小说方面也有成就。

中医名家周伟呈

毛光骅

周伟呈(1894—1947),回族,世居开封市北关。家道小康,自幼就读私塾,博览经史,以求仕途。及长,民国成立,废止科举,遂改儒习医。初读清代医家陈修园所著的《医学三字经》,渐有所悟,偶然为乡邻诊些小疾,常获奏效,便决心致力医道,1917年,就学于汴梁名医陈松坪门下。1922年经河南省警察厅考核,"允准行医",遂悬壶问世。两年之后,与中医界同仁王合三等,为维护、探讨祖国医药学术的发展,组织了河南中医药研究会,自任会长。后来又和王合三等一起,在他家里创办了河南中医学校,周主讲中医课程,培养了一批理论基础坚实的中医人材,后多成为名医。1927年,开封市中医公会成立,周氏仍担任会长。1929年,国民政府中央卫生部在南京召开第一届中央卫生委员会,会上以"中医不科学"为由,通过了"废止旧医以扫除医事卫生之障碍"提案。消息传出,立即引起全国各地中医药界的极大愤怒和强烈反对。河南省会中医界也积极投入斗争。周伟呈以河南中医界代表,参加了晋京请愿团。南京政府当局在中医药界及广大舆论的压力下,暂缓执行提案。

为了缓和中医药界之情绪，1931年，由国民党中央委员谭延闿等提议，成立了中央国医馆，周为国医馆理事，兼学术整理委员会委员。1932年，仿照中央国医馆条例精神，河南成立了国医分馆，任命周为馆长。抗日战争爆发，日寇侵入中原，开封沦陷。驻守在开封的日军宪兵特务机构，对青帮“河南省中华同义会”进行整顿、拉拢。当时周系河南青帮辈份最高者之一，被推任“河南中华同义会”理事兼组织处副处长。后来因故遭忌，他不愿再为敌人效力，遂称病家居，著书立说。周的一生，学术著述较多，计有：《内科学》、《外科学》、《新新时病论》、《内经摘要类编》、《周批程松崖眼科学》、《周评〈临证指南〉》、《瘟病新解》等。

三十年代的中原诗坛

周启祥 文　刘家骥 改写

在“五四”以来我国新诗发展的历史上，最早的新诗诗刊是1922年创刊于上海的《诗》。1932年，河南相继有三家诗刊出现，它们是：《青春诗刊》，月刊，陈雨门编；《匆匆诗刊》，月刊，金德村编；《丁香诗刊》，报纸副刊、周刊，张白虹编。可惜，刊期都不长，影响不大，今已鲜为人知。继《丁香诗刊》之后，1933、1934两年，开封报纸又先后有两家每周一期的副刊：一为《蔷薇诗刊》，一为《诗刊》(蔡一木编)。

1935年，除开封报纸仍不时可见诗的副刊外，其他城市报纸相继有诗歌副刊出现，如郑州的《新诗世纪》(周刊，刘心皇编)、《沙漠诗风》(周刊，高天主编)；洛阳有《流沙诗刊》(周刊，周启祥编)。以各诗歌社团为基础，陈雨门、高天、刘心皇等发起成立“劲风文艺社”，这家文艺社聘请的顾问有苏金伞、李蕤、姚雪垠，是全省诗歌作者大联合的组织。

时间又向前走了五十多年，就诗而论，除苏金伞坚持创作今已成为全国著名的老诗人外，其余的人大都因种种原因没能全力坚持写诗。陈雨门，现为河南省文史研究馆馆员；周启祥，现执教于河南大学中文系；高天，籍贯江苏淮阴，长期从事新闻工作及民主运动，现为中国民主同盟中央副主席。都垂垂老矣。

河南最早摄制的影片

刘东初　黄　青

1934年，全国社会教育学会在开封召开年会，柯达公司到开封推销电影设备。河南教育厅社会教育推广部购置了一部柯达摄影机，从而引起了省府主席刘峙对电影的兴趣，他便与“推广部”主任樊粹庭商议拍摄一部政府工作情况的影片。“推广部”根据省主席的意见，于10月份制定了工作计划，整部影片共分两个部分，第一部分是省府工作实况，第二部分是开封的名胜古迹和新建设。经过各有关厅局研究后，很快就获批准。摄影准备工作只用了一个多月的时间，摄影师是从上海请来的，月工资一百元。12月初开始拍摄，首先拍摄了省主席的工作和家庭生活情况，接着又拍摄了省府和所属各部门的工作情况。影片的第一部分，于翌年2月上旬完成，共十卷，长达一万余尺。影片最后定名为《河南省政府工作实况》，由河南省政府教育厅社会教育推广部出品，教育厅长齐真如监制，霍本一、王海涵设计，樊粹庭承办，张警钟、林清澄担任助理，周启民摄影，关世俊书幕。影片开头说明了摄制目的：“省政府承中央之命，办理地方政治，必须使一般民众及下级政府，对于政府工作有明了之认识与坚固之信仰，方能收最大之效果，是以本部将河南省政府实际工作情形摄制活动影片，由本部带赴各县公映，使民众对于政府有深切之认识，而增加其对于政府之信仰，以增进行政效率。”接着影片上相继出现了开封简明地图、省政府全景、省政府系统图、省政府办公时间表、省政府委员会议以及省政府各部门的官员，省政府纪念周、朝集、早操、军事训练、公役训练、视察团出发、主席日常工作、主席视察各办公室、主席阅兵、武术表演、主席家

庭生活、省府各部门的工作情况等内容。影片的第二部分有开封的名胜古迹铁塔、龙亭、禹王台、繁塔、鼓楼等，省会的新建设摄有南门、纪念塔、河南体育场、河南大学礼堂、中山大马路、无线电台、中山公园、孙中山铜像、纪念祠等。

影片于5月初完成后，4日晚八时在省府主席公馆试映，费时四个多小时，刘峙看后，颇为满意，决定择期在省府礼堂公映。

回忆《豫北日报》

郭海长

《豫北日报》1929年11月创刊于新乡，是由当时国民党新乡县党部筹备出版的一张小报，只出版40余天，就因政局变化而停刊。

1931年"九一八"事变后，《豫北日报》重新出版，它以宣传抗日为宗旨，成了一家民办的地方报纸。重新出版的《豫北日报》虽和两年前昙花一现的《豫北日报》有其继承性(在报名和人事等方面)，但在性质上则不同于以前。报纸成立了董事会，由郭仲隗、张善与、杨一峰、石维藩、王常彝、王晏卿等新乡地方人士为董事，郭仲隗为董事长。

新版《豫北日报》为对开四版一大张。仍由修文印刷所承印，每日发行两千份。社长王汝梅(字子和，阳武县人)，编辑除以前的汤继善外，还有周沛三、马继云等。消息来源:(一)国内要闻由专人抄收中央广播电台的记录新闻;(二)本省新闻则采用省会通讯社的供稿;(三)更多的是靠剪报转载填充版面。

报纸经费由新乡同和裕银号、新乡商会和焦作中原煤矿公司(郭仲隗时任中原公司的公股常任理事、中福公司董事长)按月资助。

新乡驻军国民革命军第十一路军刘镇华对《豫北日报》也予支持,重新出版后的报纸报头即为刘镇华所书写。至1934年始改用于右任书写的报头。

报纸一二版为国内要闻及专栏、社论等,三版为国际新闻,省、县新闻,四版上半版为副刊,下半版为广告。因报纸积极宣传抗日,所以伪满洲国成立后,在其禁止入境的报刊中《豫北日报》就赫然在目。

因当时立论不易,阿谀和奉承不屑为,批评指责则将遭致灾难,所以报纸很少发表社论。但对于当时国内发生的重大事情,如"一二九"学生运动、"西安事变"等情况,都是及时而审慎加以报道的。

副刊每天都有,先后由郭也生、傅孤侣、王黎夫负责,发表过不少进步文章,副刊还编有"新文学"、"抗日歌曲"专刊,"狂呼"、"前进"、"青烟"等栏目。

《豫北日报》一直坚持到1938年2月17日,即新乡沦陷前一天。

郭海长创办《中国时报》

陈 泓

1945年日本投降后,《中国时报》在开封创刊,该报以其能反映人民意愿、敢揭露黑暗现实的进步倾向,一时风行河南,纸贵洛阳。

创办人郭海长1916年生于河南新乡县。1932年在北平上中学,参加"反帝大同盟",是1935年"一二九"运动的积极分子。1936年参加了共产党领导的"中华民族解放先锋队"(简称民先),任汇文中学"民先"队长,后又任北京东城区民先队长。1937年10月在新乡任"民先"豫北总队长,参加了中国共产党,随后在河南大学、复旦大学求学。

1945年9月,郭海长由重庆经西安回到开封。为揭露黑暗,宣传革命,争取中国光明前途的早日到来,决心筹办报纸。

郭海长借助其父郭仲隗(时任国民政府监察院豫鲁监察使)在社会上的名望,在开封、新乡、安阳等地筹集资金,接着杨育智(即何燕凌)、张增淮(即宋诤)、傅奎元、王静娟、汤家驹、堤光煜、梁建堂、王绮云、徐邦敬、阎希同、张绚、李淑英(即苏鹰)、李定中等在其邀请下聚集在一起,一支志趣相投、朝气蓬勃的新闻队伍组织起来了。

郭海长找到北书店街六号(现在的开封市新华书店)的房屋作社址，从新乡招聘来一批熟练排字工人，租借建华印刷厂的设备，在取得国民党中央宣传部同意后，1945 年 12 月 1 日《中国时报》面世。郭海长任报纸发行人、总经理。报头由河南省临时参议会议长刘积学书写。刘字浑厚劲健，给人以气魄宏大之感。创刊号套红印刷。《发刊词》请河南大学著名教授嵇文甫撰写，阐明办报宗旨：一曰扶持正义，二曰倡导学风。版面由杨育智设计，新颖别致。从此《中国时报》便在中州大地风行，成为抗战胜利后河南的进步舆论阵地。

创刊第四天，发表了支援昆明学生运动的《反对内战反对盲动》的社论；为反对征兵征粮发表《为河南老百姓请命》的社论，1946 年 1 月 10 日，旧政协在重庆开幕，《中国时报》全文转载了《中共代表团 16 日提出的和平建国纲领草案》全文(当时全国报界除重庆《新华日报》外，只有《文汇报》和该报两家全文转载)，并发表了《只许成功，不许失败》的社论，加以配合。由于该报主张和平，反对内战，在揭露黑暗，反对贪官污吏方面不留情面，遭到蒋介石的反对，他电令河南省政府主席刘茂恩予以“制裁”，报社遭到特务的搜查，报社人员李铁林等人被捕，郭海长也暂避武汉。

1948 年 6 月 22 日，开封第一次解放，《中国时报》和《先锋报》联合出版最后一期后停刊，郭海长随河南大学教授嵇文甫、李俊甫、王毅斋及苏金伞等人进入解放区。

“笔杆”斗“枪杆”

王华农

民国三十六年(1947),省会开封报界闻豫剧名演员陈素真来汴演出，请她头三日先为报界义演募捐,议定于此期间,不在其他场合唱戏,以免影响上座率。时十五师驻兵近郊,师长刘献捷系省府主席刘茂恩之侄,无视协议,硬将陈素真接到兵营里唱了一场戏。报界闻悉大为不满,要求刘道歉并赔偿损失。笔者时任《河南民报》(省府机关报)社长,与刘献捷很熟,受委托转告开封记者公会之意见。刘献捷听了大为恼火,愤愤然说:“你们拿笔杆的，竟然欺侮到拿枪杆的头上来了。我在德国留学军事多年.从未见过此等荒唐事，按道理讲，我在兵营里请陈素真唱戏,又不卖票,哪会影响到你们收入?”我说:“这是记者公会的决定。你要慎重考虑。”刘说:“你们有笔杆,我有枪杆,我如告诉官兵,说报馆连我们在营里唱戏都要干涉，他们闹起来，出了事,我可不管。”报界闻知刘献捷如此,群情激愤,商量对策,有位社长说:“他别仗他叔公权势作威作势,惹我们恼了,连他叔公的旧账都翻出

来一古脑儿算。”双方相持不下，形成僵局。最后，还是把事情闹到刘茂恩那里去。刘茂恩一身疮疤，不愿开罪新闻界，只好硬压刘献捷低头认输，向新闻界捐了一笔款了事。

魏青铓与《汲县今志》

申　畅

中州第一个女修志家魏青铓(1906—1990)，和我是忘年之交，其音容笑貌，历历如在目前。

青铓家贫，生于汲县宋村一个雇农家庭，十三岁以前当过童养媳。她聪明过人，好学强记。几经坎坷，考入南京女子法政学校。

在求学期间，鞭策自励，凡有关家乡的文献，如《汲县县志》、《卫辉府志》、《河南通志》、《河南省政府年刊》，以及《大清一统志》等，尽力摘抄、研讨、汇集，编成七万余言的《汲县今志》。后经再三删润，以四万余言定稿，作为毕业论文。中央大学教授顾实，为之作序，称该志“义例整齐，顿得体要”。“述沿革、人物、古迹各门，尤能辨析精严”。“其研索之勤，采摭之富，为功良不可没”。其后，该志曾印刷五百本行世。

一次，青铓返回故里，拜会知名学者、乡贤李敏修，并赠以《汲县今志》。当时正适李纂《汲县志》未成，便以玩笑的口吻说：“我们编的志没印出来,你黄毛丫头的志却出版了!"甚为赞许和关心。并为《汲县今志》作了序,准备再版时收入。序中称其"实能目烛千古,卓然史识",并将精华部分,采入《汲县志》中。

青铠后攻文史,受业于顾颉刚之门,著有《元顺帝为宋裔考》、《北元史考》、《歌乐山游记》等文。

青铠生前为汲县县志总编室顾问、河南省文史馆馆员。

达摩面壁石

谢瑞阶 口述 陈晶彧 整理

我第一次看到达摩面壁石是在1917年前后,时年约十五岁。由于祖父、父亲崇尚佛教,便同佛学结下不解之缘,因此常往少林寺与寺僧攀谈。余既长,或随之,有缘几次瞻见达摩面壁石。

达摩面壁石当时供在大殿中央,佛像之前,是一块青灰色鹅卵石。纹理粗疏,高二尺余,宽约一尺五寸。上部较薄,下部稍厚,约五七寸不等。近看石料坚实,表面粗浑,青灰色中隐透浮黑,及稍后视之,略见图形,渐退渐显,至二米开外端看,则轮廓清晰,若人之半身像。像如真人大小,头部在石之中上部,头发蓬松,眉毛粗黑,眼眶、鼻子、嘴巴、胡须,了了分明。细看眼珠似有似无,不甚清明,不像真人那样炯炯有神。形神颇具印度人之特色,半身以下朦胧不见……。

1928年军阀相克,石友三炮轰少林寺,大殿遂毁于兵火,达摩面壁石亦焚销不存。悠悠憾甚!

余自幼喜画,十九岁时曾用薄纸依石上原形勾过一幅达摩像。后来画人物时亦画过达摩面壁。

1975年登封县人民政府重修少林寺,余应邀凭记忆画了一幅达摩面壁像。又同登封县的同志一起于嵩山深处寻得一尊如当年面壁石一般的石料.亦是青灰色鹅卵石,大小浑同。依我所画达摩面壁像,请精工镌刻于石。既成,放在玻璃罩内,酷似当年所见一般。

这尊复制的达摩面壁石,现陈放在大殿东厢,供游人观赏。

许鼎臣代康有为讲《大同书》

王　蕾

许鼎臣，河南孟津人，光绪丁酉年(1897)举人，道德学问在豫西一带享有盛名。所住村庄名老龙嘴，因名自己书斋为龙嘴山馆，著有《龙嘴山馆文集》六卷行世，南阳名士张嘉谋亲为校对，时人重之。感于世乱，在家乡设馆讲学，宏奖人才，门墙广大。

刘镇华早年曾向许氏拜门受业，后以镇嵩军起家，民国十二年(1923)当上陕西督军兼省长，请许赴陕讲学，待为上宾。适康有为亦应刘镇华敦请到陕西讲学。一日，康向听众数百人讲

《大同书》,《大同书》系康根据儒家思想讲其理想之社会,内容本已玄妙,康又不善深入浅出,且系广东口音,听众茫然不解,会场骚动。刘镇华时在场作陪,见难于收拾,灵机一动,走至许身旁,小语片刻,对大家说:“康先生讲的时间长了,休息一会。现在请豫西名儒许鼎臣先生将康先生所讲内容,进行简要解释。”许学识渊博,口齿清晰,对康所讲主要内容深入浅出,进行解释与说明,义理明晰,听众方才释然。时任陕西政务厅长之郭芳五,1942年在洛阳为笔者谈及此事,犹称道许之才思敏捷。

开封东岳艺术学校

张绍卿

河南第一个艺术专科学校——东岳艺术学校始建于民国八年(1919),开始叫开封专科师范学堂,是个私立学校,校址在开封南土街黄家胡同,租的民房。这所学校是开封当时几个学校的艺术老师周子樾、王黄石等人,为了给河南省中小学培养专门的体、音、美、手工师资和提倡发展河南艺术事业创建的。创办这所学校的老师都是从事业出发,多是在公立学校拿工资,在这个学校尽义务,所以收费不高。学校领导是校务委员制,由周子樾、王黄石负责(后改称校长),下设教导处、事务处。教师二十多人，多是来源于上海美专及上海东亚体专，各科老师在理论、技术诸方面各有特长，教学认真，质量特高。

学校设体、音、美、手工四个专业，学制二年，分体育、艺术两个班，每班五十人，在校学生二百人。东岳艺术学校是河南创办最早，在全国有一定影响的一所私立中等艺术学校，从 1919 年创办到 1938 年停办的二十年间，为河南省艺术教育事业作出很大贡献，培养出千余艺术人才，有的已成为名家。

张中孚开创河南女子教育之先河

秦　俊

张中孚(1874—1941)名嘉谋，字中孚，河南南阳人，清末举人。历任清政府内阁中书、河南咨议局副议长，民国成立后当选河南临时参议会议员、副议长，第一届国会众议院议员，终身致力于河南教育，经他之手创办的各级各类学校达十余所，内中有四所专为女子所设。

清末，封建礼教极严，女子没有求学的权力。光绪三十四年(1908)，张中孚经与李敏修合力周旋，于开封旗纛街租民房创办了河南第一所女子学校——中州女学堂。为招收学生，张常走亲访友，并亲自登门作亲家的工作，让未过门的儿媳妇刘立先到中州女学堂读书。二年后，张又和许子猷、阎春台、张润苍一起以“中州女学堂”为基础，创办了“河南女子师范学堂”。校址由旗纛街迁至老府门信陵书院(即今开封师专)，后来改为省立。

张中孚在创办中州女学堂的同年，又在自己家乡南阳县白庄村办起南阳第一所女子学校——端阆女学堂。他四处游说，连他那已经有了孩子的弟媳也被他劝进了学校。

在张创办的女校中，最成功者为北仓女子中学。该校创办于1921年，是他和国会议员王敬芳、河南省实业厅厅长张之锐等联合创办的。初名为“河南私立第一女子中学校”。为筹经费，一度特聘冯玉祥为该校“募捐校董”。民国十一年(1922)，经商准冯玉祥，“复呈大总统批准”，没收前河南督军赵倜汝南土地五十多顷，拨给河南私立第一女子中学作学田。赵倜对此一直耿耿于怀。

1923年，曹锟为当总统，以五千银元一票贿买国会议员。受贿者达五百九十人，张中孚也是其中之一。别人受贿，尽饱私囊，惟有张中孚一人将受贿之款全部捐作教育经费。

张中孚一生，胸怀坦荡，任劳任怨，致力于河南文化教育事业。及殁，国民政府行政院根据河南省参议院请求发了褒扬令。行政院令全文为："查河南南阳故耆宿张嘉谋，博学强记，学术湛深。初主陕州三门书院及淅川丹江书院讲习，继在豫先后创办学校达十余所。乐育英才，蔚成茂绩。综其一生，尽瘁于教育文化事业垂五十年。并殚心著述，致力于考古之学，功尤难泯。应予褒扬，以资矜式。此令。中华民国三十一年十月。"

百泉河南村治学院

吉新报

1929年7月，彭禹廷亲赴开封，面晤河南省政府主席韩复榘，经韩许可，成立河南村治学院。1930年1月学院开学，校址设在辉县百泉风光秀丽的苏门山下。彭禹廷任院长，梁仲华任副院长，梁漱溟任教务长。全院有教职工四十人，学员二百四十人，在北平出版《村治月刊》。

学院直属于河南省政府，正副院长由省政府主席任命。下设注册股、文书股、会议股、庶务股。学院旨在培养乡村自治人才，研究乡村自治问题，主设农村组织训练部、农村师范部，附设村长训练部、农林警察训练部、农业实习部。学员来自河南、山东、河北、山西等省。

农村组织训练部、农村师范部，均设正班和速成班，学期分别为二年和一年。村长训练部学期六个月，农林警察训练部学期一年，农业实习

部学期不少于三年。

学院的入学考试定在每年冬季，根据专业情况分为笔试、面试和推荐三种，次年1月10日开学。除参考书、笔墨纸张由学员自备，膳宿、理发、洗澡均由学院负责。学院每年还发给学员一套单制服、一套棉制服。中途退学或被开除学籍者，追偿上述各费。

各部以培养学员实际做事能力为主，公共课程设有：

甲：党义之研究，概括《三民主义》、《建国大纲》、《建国方略》，及其他等目。

乙：乡村服务人才之精神陶炼。

丙：村民自卫之常识及技能之训练，概括自卫问题研究、军事训练、拳术，及其他等目。

农村组织训练部、村长训练部另开有农村政治问题之研究、农村经济问题之研究，农村师范部另开有农村改进之研究，农村小学教育问题之研究；农林警察训练部另开有农林知识及技能之训练，农林事业保护方法之训练等。

除上课、实习外，每日午前午后晚间八小时为学员作业时间。每日晚间作业之余由各部主任指导，各作日记，阅订后于次日写作日记前发还。学院没有节假日和星期天，教职工有事须事先向院务处请假，学员只准请病假或请亲丧事等特别事故假，前者须持中医师诊断证明，后者须经部主任问明认可。

1930年5月，冯玉祥、阎锡山亲临河南村治学院演讲。冯玉祥的讲题是《打倒挂羊头卖狗肉的蒋介石》,阎锡山的讲题是《自治区是建国之基》。同年底,中原大战阎、冯失败后,韩复榘调职山东,河南村治学院遂失去靠山。辉县县长李晋山收抚土匪数百,首先向学院发难,学院财物被洗掠一空。院长彭禹廷回镇平倡导宛西自治,副院长梁仲华等人,到山东邹平又成立了山东乡村建设研究院。至此,成立不到一年的河南村治学院便宣告结束了。

高镇五和薄一波师生情

于传璧　魏　旭

高镇五(1880—1966),河南清丰县人。从教六十年,曾任新乡师范校长、省教育厅长、省教育工会主席和省政协副主席等职。

1922 年,高镇五在山西太原国民师范任班主任,薄一波是他班上的学生。薄在一次张贴进步标语时被警方发觉,准备逮捕。高老闻讯后,马上联合五位教师直面校董,为薄申辩,并以集体辞职相要挟,以示对抗警方即将采取的措施。当时的校董赵戴文,是阎锡山的老师,颇有威势,他虽不支持进步学生,却又碍于学校面子,不愿把事情闹大,止在举棋不定,高上前劝解道:“学生无知,乃我们为师之过。薄等年少,尚

不能辨别世间的良莠轻重。他们漫步街头，看见墙上纸片被风吹落，便随手拣起贴回原处，此举断不能列入扰乱社会治安之行。万望校董明鉴！如定要处置他，那就先处置无能的我好了。”赵听了这番刚柔兼施的话之后，马上满脸堆笑道：“高老师言重了。”接着故作愠怒状，“哼，警方若敢到校抓人，我就打断他们的腿！请高老师及诸位放心，定无事可生。”

当晚，高趁查学生宿舍之机，走到薄一波床前，轻声说：“放心休息吧，没事儿了！以后再干什么，可要多加小心啊！”

1948年秋，晋冀鲁豫行署在石家庄召开教育工作会议，高前往参加。一天会余，他在街上散步，迎面过来一位军人，突然在他面前站住，端端正正行了个军礼，热情地叫了声“高老师”。原来这位军人就是薄一波同志。他说此行是来石家庄参加会议，现在会已结束，明天会餐，他请高老师前去作客。

次日中午，高按时赴约，来到北街祠堂，受到薄一波和刘伯承等领导同志热情款待。高老和薄一波共叙师生相别之情，并畅谈解放后发展教育事业的美好设想和规划。席间，刘伯承同志提议，在座的人一一向高老敬酒，对高老的道德学问和竭尽心力办教育的精神表示尊敬和感谢，气氛甚为热烈欢畅。

全国解放后，高老以全国政协特邀委员和一、二、三届人大代表等身份，经常到北京开会。

会议期间，高老和薄一波同志又多次欢聚一堂，共商国家大事，并相约话旧，互相砥砺，更增强了他们师生和同志之间的革命情谊。

1986年春，为纪念高老逝世二十周年，薄一波用毛笔在巨幅宣纸上端端正正题了“循循善诱，为人师表”八个大字。

冯友兰与嵇文甫之同异

嵇道之

冯友兰和嵇文甫都是河南籍著名学者，将他们两人一生之同异作一比较，甚有趣味。

他们两人都是1895年12月生，冯在4日，嵇在17日。嵇生于贫苦之家，数代人都目不识丁；而冯家却是官宦书香门第。

两人都求学于北京大学哲学系，为同班好友。毕业后，又同回河南省会教书，20年代初即开始被人称道，有“南冯北嵇”之说。冯在美留学，嵇赴苏读书。冯在清华大学任教授时，到英国休假，路过苏联回国，在北平作了报告，被国民党特务逮捕至保定，囚禁了两天；嵇在抗战时期亦遭国民党特务逮捕，囚禁在洛阳邙山窑洞半年。

冯在清华大学作过文学院长，在昆明为西南联大校歌写词。巧的是，嵇亦在河南大学作过

文学院院长,河大的校歌是嵇作的。河大校歌作于 1940 年,歌词是:“嵩岳苍苍,河水泱泱,中原文化悠且长。济济多士,风雨一堂,继往开来扬辉光。四郊多垒,国仇难忘,三民是式,四维允张,猗欤吾校永无疆。猗欤吾校永无疆。”

在学术方面,就中国哲学说,冯崇尚朱熹的理气二元论,是儒学中的程朱派;嵇张扬张载的气一元篇,属儒学中的陆王学派,信奉马列主义的时间较早。冯所著多大部头哲学书,学术气息重;嵇则多是小册子,以写哲学史学小品擅长,趣味性强。冯作报告时,总是在讲台上先静数分钟,然后开讲,讲话虽不见文稿,但却如背诵文稿一样,谨严无废话;嵇作报告时,也是先在讲台上静一下, 但比冯静的时间短, 开讲如说家常,随意发挥,颇能引人入胜。冯往往把平常的事理说得深,嵇则善于把深奥的事理讲得浅,一深一浅,各有所长。

周勤学与洛阳中学

毛成身

1935 年秋,周勤学(字筱沛,修武县周庄人)被任命为河南省立洛阳初级中学校长。

周勤学在求学时期就多次参加爱国反帝运动,是一位著名的妇女运动活动家。在她担任洛中校长三年多的时间内，对学校进行了一系列的改革：提倡尊师爱生，严禁体罚学生，反对盲从权势，提倡独立思考；反对把学生禁锢在教科书内，提倡学生关心国家大事，走向社会；要求各班办墙报，组织记忆会、学习会。“七七”事变后，她立即在学校成立了“抗敌后援会”，亲率师生，走上街头，深入农村，进行抗日宣传活动，使洛中很快名震全省。

尤为难能可贵的是，她聘请了吴芝圃、郝德育、王志杰、曲乃生、郭晓棠等中共地下党骨干分子在学校任教，中共豫西地下党委领导机关就设在洛中，印刷革命文件就在吴芝圃住处。这些党的领导人自编讲义，在课程中增设了“中国问题”、“苏联问题”、“国防政治”、“抗战形势”、“军事训练”、“战地救护”、“游击战术”等新课题。国文老师吴芝圃，将《共产党宣言》、《论持久战》、《西安事变经过》等内容编入讲义；教导主任郝德青和历史老师王仲清选编的讲义有《辩证唯物主义》、《历史唯物主义》、《劳动创造世界》和抗日英雄故事等；郝德青还利用每天早晨的“朝念”和周末会的机会，讲国际形势，共产党抗战的方针和政策，揭露国民党的卖国投降活动；体育老师王志杰则向同学讲红军长征故事、中外民族英雄事迹、八路军抗日英雄故事及游击战术等……。所有这些，都得到周校长暗中积极支持和巧妙掩护，使全校师生的思想觉悟迅速提高。在此基础上，先后吸收了一百二十多名

经过斗争考验的积极分子加入中国共产党。1937年左右，学校地下党组织分批送三百余名青年学生到陕北、山东、竹沟等抗日根据地，使他(她)们走上了革命道路。对国民党反动派的迫害和破坏，周校长总是挺身而出，进行坚决的斗争，并果断地将训育主任宋次珊、童子军教员郭子森等几个思想反动的老师解职，从而使洛中的活动完全由中共地下党组织所控制。因此，豫西人民盛情赞誉说："陕北有个陕公，洛阳有个洛中。"国民党则咒骂："洛中全赤化了，是专为共产党培养人才的。"于是，国民党教育当局以"人地不宜"为借口，于1938年9月解除了周勤学洛阳中学校长的职务。

"大同事业令人思"

方晴初

高风每忆王夫子，磊落光明是我师。
遍地阴霾惜火种，漫天飞雪护花枝。
聘来教席藏亡命，送走生徒举义旗。
坎坷忠魂应自慰，大同事业令人思。

这是作家姚雪垠悼念我省著名社会活动家、中国民主同盟河南地下省支部创建人、曾任民盟河南省委主委、河大经济学教授王毅斋(1896—1972，杞县人)的一首七律，说的是他主办大同中学的事。

1930—1935年，王毅斋任河南大学经济系教授，任职期间，深感启发民族意识、提高群众觉悟的重要，决定从教育入手，在故乡杞县利用旧庙宇，创办了大同学校（1934年改称大同中学），自任校长。办学经费除部分庙产收入外，其余从个人教授薪水中开支。1935年因倾向革命，被河南大学解聘后，为筹措经费，不惜违反个人心愿，找安徽省政府主席刘镇华，谋得合肥县烟酒税局局长职务，一人在此，省吃俭用，把收入大部寄回学校。

大同中学除重视智育外，在爱国、革命的思想教育方面，特别用心。所聘教师大都是进步知识青年，其中有不少共产党员，如曾任中共上海沪西区地下政治委员的高炳坦，曾任中共河南省委宣传部副部长、郑州大学副校长的郭晓棠及王衡儒、梁雨田、傅孤侣等都先后任过该校教务主任。1937年以后，这里是中共杞县地下县委所在地，教职员中的赵一萍、梁雨田、高炳坦、杜省吾、王静敏、段佩明都曾先后担任过县委领导工作。

王毅斋经常返校，在校时常利用某些纪念日带领学生上街游行，高呼“坚决抗日”等口号，他曾赤着臂膀、打着铜锣，走在队伍前列，被人称为“王疯子”。

在党的领导及他个人善于利用各种关系而进行的正义斗争中，大同中学的革命气氛十分

浓厚，一批批学生相继奔赴延安，参加八路军、新四军。正因为大同中学是一所对革命有重大贡献的特殊的学校，因而有一些当时在社会上站不住脚的进步人士在此暂住避难，姚雪垠便是其中的一位。开头所引的他的那首七律，正是王毅斋主办大同中学的真实写照。

罗章龙执教河大

王华农

1936年我在河南大学文史系读书，听说经济系有位罗仲言教授，就是闻名一时的罗章龙，就以青年人特有的好奇心注意起来。罗先生中等偏低身材，经常西装革履，规规矩矩系着领带，戴一副金丝边眼镜。遇到学生向他问好，总是含笑点头和蔼可亲。听经济系的同学说，他开的课程是《中国经济史》，上课态度很严肃，从不扯闲话。讲书条理明晰，分析历朝历代的经济发展对政治、社会、文化，特别是战争的影响，有新见解，实际上是向学生灌输唯物史观。他自编讲义，印出散发，一学期一大厚本。

1938年春，日本侵略军进逼开封，罗随河南大学迁往豫鄂交界的鸡公山。到了秋天，武汉吃紧，河南大学从鸡公山迁往嵩县时，罗先生没有随同，听说以后到西南联大教书去了。

张钫创办西北中学

沈　楚

1943年,张钫(字伯英)鉴于旅居西安的河南同乡日益增多,为解决他们子弟的求学问题,发起创办了西北中学。

张钫是河南新安县铁门镇人,早年旅居西安,是同盟会会员,也是新军中的革命党首领。1911年10月22日西安光复,他是领导西安起义的重要人物之一。1918年担任陕西靖国军副总司令(于右仁为总司令)。他定居西安后,兼任旅陕河南同乡会理事长。河南同乡会馆就设在南院门西边的五味什字街,今西安第六中学校址内。

西北中学创设在河南同乡会馆。初创时,办学经费十分困难,张钫除了自己带头捐助一部分外,还向在西安的河南籍富商募捐。他们中有的是从河南逃荒要饭到西安后发家的。在潦倒落魄时,张钫也曾资助过他们,因此张钫一开口,他们也乐意解囊。除此以外,张钫还亲自回河南邀请豫剧名角常香玉、崔兰田到西安义演。由于他苦心周旋,到了1943年,西北中学初具规模。张钫担任了该校第一任校长。西北中学现改名为西安市第六中学。

抗战时期的河南大学学生

刘家骥

我是1942—1946年就读于河南大学文史系的。四年中,学校由嵩县潭头到淅川荆紫关、宝鸡石羊庙而返回开封,搬迁三次。1942—1944年在潭头,较为安定,有诸多可资回忆之往事,从中可了解抗战时期国民党统治区大学生生活的一斑。

潭头位于伏牛山深处,至嵩县县城,全靠步行。中经山路"十八盘",其闭塞可见。

学生家在沦陷区者,均能领取"贷金",温饱无虞。五六百学生,有虽身在深山却心忧天下者,这些人在中共地下党领导及进步教授嵇文甫、王毅斋影响下,读革命书刊,秘密进行各种有意义的活动。当时国民党、三青团也相当活跃,其中的少数特务分子,以监视、迫害进步师生为职业,什么书也不读。但两耳不闻窗外事、游离于政治风云之外的占多数。这里也有两种人,一是只读圣贤书者,山村小屋的油灯虽昏暗,披衣夜读者大有人在。教室在一大庙内,每当上课时,身着长衫的学生便从各村土路涌来,教者认真、学者专心,听嵇文甫教授讲课的人尤其踊跃,有时连窗台上也坐满了。二是少数混文凭的公子哥儿,无所事事,他们常把大好时光消磨在麻将牌桌边。曾有这么一个笑话：该考试了，某人竟不知教室在哪里。

深山荒村，自无什么文化娱乐可言。于是便有京剧团、曲剧团、话剧团等组织的兴起。每届三八、五四、双十、元旦等节日，在校办公室前广场的一座旧戏台上，便汽灯高悬、锣鼓喧天，热闹非凡，一演就是三四夜。理科学生南阳人米庭伞演的曲剧《红楼梦》，文科学生梁建堂等演的话剧《野玫瑰》、《北京人》，体育教师、诗人苏金伞和文科女生王珺合演的京剧《打渔杀家》，曾不知吸引了多少师生和附近群众。那时的学生今虽已都成为白发满头的老人，每一谈起往事，仍津津乐道，记忆犹新。

河大师生逃难纪实

刘家骥

河南大学于1939年6月因开封沦陷，迁入伏牛山深处的嵩县县城及嵩县潭头镇。

1944年5月，日军又陷洛阳。因校长王广庆思想麻痹，没有什么防范，又因国民党军队闻风溃逃得很快，当学校师生得到消息准备迁移时，日军已到嵩县，直逼潭头，什么都措手不及了。

我是5月12日晨和同学一起，背起行李卷仓皇出走的。除少数教授侥幸雇到毛驴驮东西外，没有什么交通工具。那天，潭头小镇，一片混乱，到处可以看到人们惊恐的神色，到处是无法带走丢弃的衣物、书籍。就这样，或扶老携幼，或三五一伙，有的惶然，有的悲戚，也有少数学生像远游者一样，似乎不知什么愁滋味，一支毫无组织的流亡大军出了南寨门。他们在伏牛山深处，经庙子、栾川，越摩天岭、过西坪镇，于 6 月初陆续集中在淅川荆紫关镇，停了下来。

12 及 13 日出走的一些人，绝大部分是学生，年轻能跋涉，也容易忘掉忧愁，虽苦却不觉怎么苦。山区人民厚道，所到之处，都可得到他们的帮助，有些殷实大户，甚至以饭菜招待。在人群中，不时可以看到男同学肩挑背负与女同学同行，不用问，这是正在恋爱中的一对，我们戏称这些男同学为“驮子”。

最惨的是晚走两天的学生和行动不易的教职员。15 日，日军逼近潭头，大雨滂沱，山洪暴发，人们想走也走不了了。在急难择路的逃避中，有五人同日军遭遇，当场中弹身亡。女同学李先识、李先觉姐妹及先识之夫刘祖望，逃避不及，共投一井自尽。医学院院长张静吾两次被俘，其妻被害于杨坡岭，侄仲宏被刀刺入颈部，伤势严重。农学院院长王直青、教授段再丕等二十余师生一起陷入日军包围，被罚作苦工，稍有怠慢，便遭毒打。王院长不堪忍受，跳下山崖，身负重伤。《植物学大辞典》主编黄以仁老教授，逃出潭头到荆紫关后，一病不起，含悲而死。

一堂堂高等学府，遭此浩劫，实旷古少有！此日军之灾乎？人为之祸乎？——王广庆因此被迫辞职，校长由张广舆(仲鲁)接替。

著名化学家李俊甫

王瘦梅

著名化学家李俊甫，1931年获美国康乃尔大学化学博士；1932年回国，先后任过北师大、浙大、安徽大学、四川大学、河南大学教授。他在溶液化学方面有深刻的研究，1965年和1966年春，先后发表了三篇论文，提供了大量数据，总结出了一些有意义的规律。为迎接1980年10月份首届全国“溶液理论、热力学、热化学、热分析”学术会议，年迈的李俊甫教授亲自整理数据、绘制图表，在盛夏酷暑中撰写论文五篇，因劳致疾，患胃大出血，但仍坚持参加会议。他甚至在弥留之际，仍念念不忘溶液理论的研究，留下遗言：把自己毕生积累的溶液专业书和研究成果，全部交给国家。

李俊甫教授不但是一位志行高洁的学者，而且是一位赤诚的爱国主义者。1944年，他在西迁嵩县的河南大学任教时，日军西犯，师生仓皇逃到荆紫关，大家正庆幸虎口余生，他却想到学校的几万册图书和大量仪器，立即带领师生，返回刚被敌人袭劫过的原校址潭头镇，掩埋了学生及群众尸体，运回了全部图书仪器。

郑州老黄河铁桥完成历史使命

霖

最早的黄河铁路桥——郑州黄河铁桥，经国务院批准于1986年7月开始拆除。从此这座运行八十年的黄河铁桥，完成了它的历史使命。

郑州黄河铁路桥，位于郑州北30公里处的邙山脚下，它是平汉铁路南北交通的咽喉。该桥始建于清光绪二十九年(1903)，由清廷向比利时公司贷款，外国工程师设计修建。1905年11月竣工，1906年4月1日正式通车，共耗白银二百六十五万两。据当时《河南官报》记载：该桥102孔(一百零三个桥墩)，桥长990丈，桥面纯以铁板合成，作斜方网格式，不几步有避车之所，设护栏，以利行人。每个桥墩用柱六，柱计长七丈余，深入沙土中约三至四丈不等，每柱有铁条二，其中实以塞门德土(混凝土)，凡铁柱接缝处，以六螺旋之，合桥之栏杆涂成灰色，其中三分之一未设。桥之上游，每孔两旁有八寸直径松木拦水坝一座，冬春则防凌，伏秋则杀水势。桥西沁河下游筑石砧二十五里，以资保障。桥边悬挂电灯一百余盏，临深夜如白昼。

光绪三十一年十月十七日(1905年11月13日)，铁桥竣工之时，清廷决定隆重庆祝，特命督办铁路大臣盛宣怀、会办铁路大臣唐绍仪、外务部右侍郎联芳、湖北总督张之洞、河南巡抚陈夔龙，以及法国、比利时、意大利公使参加了庆典。

大桥于1906年4月1日正式通车，担负着平汉铁路南北大动脉的运输任务。因是单轨桥，来往火车过一次桥要几个小时，后经历年军阀混战，日本军入侵，洪水泛滥，几次被破坏，几次修复，修复后，全长成为2951米、100孔。1948年10月，国民党败退时，铁桥只能过轻型机车，每列车过桥要三个小时。1949年至1952年五次加固整修，桥梁的建筑几乎全部撤换一新，修复新建九个桥墩，运输能力提高36倍。1958年7月17日洪水冲倒大桥11号桥墩，中断了南北交通，经周恩来总理亲自视察、指导，虽然又修复通车,但大桥已进入老年,不适应社会经济发展的需要,因此,国务院决定在老桥下游500米处新建一座双轨铁路大桥,于1960年4月通车,老桥又改为公路桥,超期承运二十多年。1986年9月30日新的黄河公路大桥在郑州花园口通车后,老黄河铁桥完成了它的历史使命。

河南人民反对英国福公司的斗争

郑永福

1889年英国攫取豫北焦作矿山成立福公司,又在道清铁路沿线建立了转运点,准备在当地售煤。1909年2月河南地方官与福公司总董白莱喜签订的《见煤后办事专条》中规定:福公司"不在内地开设行栈售煤",但《专条》签订不久,英方贿买、胁迫中方办理交涉的候补知府杨敬宸、候补知县严良炳,于1909年4月4日又签订"补充条款",提出"华商如有自愿赴公司购煤者,他人不得阻挠买煤"。

福公司就地售煤,侵犯了河南人民的利益。河南彰(德)、卫(辉)、怀(庆)三府,沿山多有煤田,"居民每多合伙挖井采取,行销山东、直隶、山西等地,以为生计。业煤之人,不下二十万人"。福公司机械采煤，效率高，成本低，每百斤销售价格为制钱八十文，运到道口一带，也只有一百三十文。而当地土窑出煤百斤已需工本百文上下，运至道口，必合二百四五十文。如允许英国福公司就地售煤，必使当地土窑遭受严重打击。

续约签订的消息传出后，省内人士大哗。五月十六日，开封绅、商、学各界五千余人在小行宫集会，“集议抵制之策”。

这次会上议定设立“保矿公会”，推举太史杜友梅、主政方千舟赴京，联络同乡京官，共谋抵制办法，并向外务部、农工商部递呈，力争废约。会后，各界代表齐集抚辕，要求豫抚吴重熹与英人据理力争，对杨敬宸、严良炳予以惩处。接着省“保矿公会”成立，事务所设在学务公所东壁，卫辉、许州等处，纷纷组织分会。同时派员赴郑州、许州各铁路重站，预阻福公司煤炭销路。旅沪同乡会亦致函河南巡抚吴重熹，要求废约。

清廷政府不得已，于五月二十五日，将知府杨敬宸等革职，交部议处。六月十五日，发布谕旨：“著外务部、河南巡抚会商妥善处理。”

外务部接旨后，由吴重熹派巡抚衙门总文案、候补道蒋懋熙等与英人白莱喜在开封交涉谈判，拒绝承认续约条款。白见地方官态度坚决，各界群情激愤，便溜回北京，请英国驻华公使朱尔典出来恫吓清外务部，交涉一日不了，中国必须按日偿付福公司积压煤炭损失银洋一千元,并公然以战争相威胁。

在英人的压力下,清政府向英人屈服。即电吴重熹,提出两个解决方案,“一是由官商合股成立一个总公司,专购福公司煤炭,以防福公司故意压低销售价格,冲击土窑;一是对土窑出煤,减轻税厘货捐,使其可以销售各地”。又说,“前一个专购办法,恐难全包,且英国公使也未必能允,故保全土窑,似以第二层办法为宜”。实际上外务部仍然意在对英妥协,实行允许其就地售煤。

吴重熹同外务部磋商后,提出了如下方案:一是规定福公司煤炭必须出省销售;二是商请邮传部减轻铁路运费,换取福公司同意出省外销;三是福公司一两年内,不得在怀庆、卫辉、彰德三府卖煤。以上方案被英方拒绝,河南对外务部提出的准华商赴福公司厂矿批购煤炭之事,更是无比愤慨。“保矿公会”一面致电外务部极力反对,一面又于7月9日,在《民呼报》刊登了对梁敦彦的声讨书,云:“外部梁尚书敦彦,违国法,拂舆情,擅在私宅与白莱喜定议,不理会豫人所争。无法无君,不知是何肺肠,……倘再执迷,势合全国之力以对付之,为辱国者戒。”

白莱喜见此情景,一方面不急于开议,另一方面串通奸商就地销煤,致使豫北三府人民奋起抗争。7月15日,修武县各界人士聚众,拟将私行签订续约的知县严良炳“殴毁”,严闻讯狼狈逃窜。三府先后有数千人集会,表示抗议。在开封应考士子三千余人,亦纷纷筹议,他们致电军机处和赴京代表,恳请力争废约。

1909 年 8 月 9 日,清政府在英方压力下,颁发谕旨:“……似此变通办理,俾大批购自公司,而零售仍在民户,所拟办法,尚属妥协,着吴重熹即照此议行,并严饬所属,撤销福公司售煤之禁;一面晓谕商民,毋得阻抗。”

一场反对帝国主义经济掠夺的斗争终于被扼杀了。斗争虽然失败,但从这一事件中,广大人民群众进一步认清了帝国主义的侵略和卖国的清政府的腐朽无能。

河南最早的民族企业
——成兴纱厂

鲁定华 口述 周西如 整理

成兴纱厂是鲁定华的祖父鲁连城于 1918 年创办的。鲁连城,河南武陟人,幼时曾读私塾,做小生意,以谋蝇头微利。以后做百货生意,又兼营牛膝、菊花、地黄、山药等四大怀药及洋布洋纱,并在汉口、天津开设成兴怀货庄、成兴洋布庄等。

早在宣统末年(1911),鲁连城在上海就有意在河南创办纱厂,但因资金不足,拖延数载。

1914年，鲁连城与驻沪英商慎昌洋行签订了三千纱锭和两台蒸汽引擎机的合同。惟在合同订立不久，第一次世界大战爆发，海运不通，机器未能即时运来。欧战结束后，机器价格飞涨数倍，英商抵赖，拒不执行合同。鲁连城聘请外籍律师为代理人，涉讼起诉，英商败诉后，将机器运到武陟县。同时，鲁在武陟县木栾店西门外，购置土地百亩作为厂址。

成兴纱厂创办时资金为白银八十万两，有细纱机纱锭二千八百枚及其相应的附属设备。一百五十名工人中，有从上海招聘的技术工人三十二名。开厂初期仅能日产十六支纱一千余斤，成本高，利润低。后鲁连城派其子鲁锡爵到上海恒丰纱厂学习，回厂后又在本地招收自己的亲朋子弟当学徒，产量日益提高。纱锭发展到六千四百八十枚。工人增加到四百多名，这时纱厂已初具规模。

1928—1930年间，军阀割据，刘镇华、石友三借口筹饷，各向纱厂敲诈五万元，土匪头子张仁山又勒索五万元，加上工厂被洪水淹没，只好停产。

当时河南省商会会长杜秀生通过鲁连城夥友宝振声说合，以每年两万元的租金签订了1931到1935五年租厂合同，将成兴纱厂改名为巨兴纱厂。合同期满后杜秀生以经营亏本为借口，既不交还厂子，亦不付租金。延至“七七”事变前夕，经过诉讼，因有当时新乡专员郭仲隗之鼎力协助,鲁连城才把厂子收回。

“七七”事变后,鲁连城已去世,武陟沦陷,其子鲁锡爵把每台机器都钻了号码,然后用纸拓下带至西安。

1939 年 11 月,日军利用原巨兴纱厂职员芦梦彬强迫工人复工,改为“河南第十九军工厂”。1941 年 5 月他们把工厂迁到新乡,于 1942 年元月开工生产。1942 年夏,日军把工厂转交给日本垄断资本集团,改为“华北振兴纺织株式会社新乡工厂”。

抗战胜利后,国民党派田温如来接收,汉奸芦梦彬当了经理,厂名改为“军政部河南省新乡纺织厂”,这时,鲁锡爵由西安返新来接收工厂,芦梦彬不承认机器为鲁家所有。后来鲁家去南京控告,经行政院派人调查,机器上的号码与鲁家保存的原拓印号码完全相符,这才把机器产权确定下来,芦梦彬以汉奸论处。为了找靠山,鲁锡田(鲁锡爵之弟)商请薛笃弼(国民党政府水利部长)之侄薛拂暗与国民党军队中将处长孙景贤为成兴纱厂代理人,又交付四亿元法币,才于 1947 年元月把工厂正式接收过来。薛拂暗任经理,孙景贤任副经理。薛拂暗于 1948 年 2 月辞职,鲁定华从此自任经理,经营工厂。

巩县孝义兵工厂

路宏杰

1912年,袁世凯窃据临时大总统后,准备建造一座以生产弹药、枪支为主的军火工厂,在北京成立了"兵工厂统率办事处",由海军上将萨镇冰任督办,陆军中将蒋廷梓任督办处处长,购地委员兼驻厂负责人为彭雨申。办事处根据袁世凯的旨意,选中了地处郑州与洛阳之间的巩县孝义镇作为兵工厂厂址。与此同时,从德国购买了电机、汽轮机、水压机、压力机;从法国购买了碳筒机;从美国购买了制枪机等机械设备。

1914—1915年,办事处从上海请来了两家建筑公司(姚国基和王金记的公司)帮助建厂。1919年,炮弹厂落成。1921年,机器厂开始出产品。1925年,枪厂也建成投产。至此,孝义兵工厂下属的四大分厂全部建成投产,并由筹备处正式命名为"巩县孝义兵工厂"。

孝义兵工厂初建时,仅有一百多人。1931年"九一八"事变后,奉天兵工厂(沈阳)大批职工入关来到孝义兵工厂,该厂人数增加到一万二千多人。仅动力厂、炮弹厂、机器厂、枪厂四大分厂,就占地约80万平方米。1933年至1934年,孝义兵工厂又在石河道一带,新建了毒瓦斯厂、防毒面具厂,称为“新厂”。“新厂”由天、地、玄、黄、宇(生产化学毒品,合称“五厂”)、药厂、防毒面具厂、修配厂(实为车间)等九部分组成。

孝义兵工厂的主要产品有:七九式步枪、捷克式轻机枪、捷克式步枪、勃朗宁手枪、八二追击炮弹、七五式炮弹、十年式炮弹(民国十年制造)、拨浮肆钢炮弹、木柄手榴弹、催泪弹、防毒面具等。其中以七九式步枪、十年式炮弹、七五式炮弹、拨浮肆钢炮弹质量最好。1933 年蒋介石视察孝义兵工厂时,提议将七九式步枪枪托减短二寸,刺刀加长二寸,所以改制后的七九式步枪又叫“中正式”步枪。

孝义兵工厂的设施完备,四大分厂既自成体系,又工艺衔接。厂里有三条铁路叉道,一条专用线直通陇海铁路。各主要车间之间,铺有小铁轨,以供转运生产原料和成品使用。并建有地下靶场、地下弹药库、地下防空洞等。老厂外围经常驻有一个团的兵力。新厂内有一个警备大队(二百多人),担任警戒保卫工作。

孝义兵工厂的技术力量,基本上依赖外国人。老厂装压力机工程师为丹麦人老曼,引信工程师为德国人德林,炮弹厂工程师为德国人马德;新厂也有两名德国人,一个叫马斯德,一个叫米斯德。技术人员中,有从上海同济大学和兵工署大学毕业的,也有少数从国外留学回来的专家或工程师。

孝义兵工厂建成初期,控制在北洋军阀手

里。1916年,袁世凯死后,皖系军阀段祺瑞操纵北京中央政权，孝义兵工厂控制在皖系军阀手里。1920年7月，直系军阀夺得了北京中央政权,吴佩孚驻扎洛阳,控制了孝义兵工厂。1926年北伐战争中,吴佩孚失败,孝义兵工厂处在军阀憨玉琨的掌握之中。1927年该厂又落入冯玉祥、韩复榘之手。1930年5月,蒋介石、冯玉祥、阎锡山之间爆发了中原大战,韩复榘倒戈,冯玉祥被迫撤离巩县以后，这个厂就直属南京政府军政部兵工署管辖。

由于孝义兵工厂在军事上的重要地位,许多军政要人如冯玉祥、吴佩孚、憨玉琨、岳维峻、靳云鹗、张学良、唐生智、蒋介石,都到过该厂视察。1936年11月,蒋介石第二次到该厂视察,将巩县划入洛阳范围,成立了巩、洛警备区,并派了一个高射炮连驻扎在该厂南门外，担任防空任务。

连年的军阀混战，使兵工厂的当权者调换得格外频繁。从1912年到1937年的二十多年间,来接任厂长的有:沙图毕、蒋廷梓、尚振开、刘绍棠、吕明贵、李文田、尚德胜、吴瑞芝、徐营、陈万青、黄璧、吴克润、毛毅可、李待琛、张保田等十五人,先后调换十八次。在巩县的最后一任厂长为李待琛。

1937年“七七”事变后,华北地区沦于敌手,孝义兵工厂成为日寇轰炸的主要目标之一,不能正常生产，遂奉命于是年九月间开始拆运机器设备，陆续搬迁至湖南长沙。新建的毒瓦斯厂、防毒面具厂亦在1937年冬迁至四川泸州。

孝义兵工厂从1912年开始筹建，至1937年9月迁往湖南长沙，在巩县孝义镇共历二十六年时间。

从“又一村”到“又一新”

孙世增

“又一新饭庄”地处开封市繁华商业区的鼓楼街，以经营传统的风味菜点著称，是一家历史悠久、远近闻名的餐馆。

清朝光绪末年(1908)，扬州的一个衙门派厨师钱荣升，来到开封，与人合资开设了“座上春饭庄”，专营扬州风味。但因品种特色不适合汴京风情，生意十分萧条。钱老板虽然从菜点制作到坐柜算账均属行家里手，却也难挽残局，维持二年多便停业了。遭此败绩，他心中不服，几欲东山再起。1912年，凭借一位同乡之力重新集资，在山货店街租赁了一座三进三出的院子，并用高于别家一倍的工资，聘请了赵玉茹、王方岭、陈永顺、王风彩、刘庚连等当地几位著名的豫菜厨师及招待、柜先(会计)，开设了“又一村饭庄”。开业之前，钱老板设宴三日，名曰“尝尝汤水”，实是为了窥测豫菜的风味特点，并以此广

揽宾客。席间一位颇晓底细的老翰林赠对联一副,上书陆游的名句:“山重水复疑无路,柳暗花明又一村”,清楚地道破了钱老板摘取“又一村”为字号的寓意。

路在哪里,村在何方?那就是入乡随俗,经营豫菜。钱老板一入此路,生意果然今非昔比。由于他经营的豫菜,用料严谨,制作考究,汴京风味突出,不仅一般顾客满意,还赢得了中上层人士的赞扬,生意便日趋兴隆。1923 年,康有为游学开封,各界名流和清朝的遗老遗少,在“又一村”宴请。康学士吃得高兴,便亲书“又一村”三个大字为该店制匾,还题写了“味烹候鲭”的条幅以示颂扬。此匾一悬,“又一村” 的名声大振,成了开封赫赫有名的大饭庄。从此,政界要人、社会名流的交际往来,也就少不了“又一村”的宴席和厨师了。1937 年,蒋介石在汴召开军事会议拘捕韩复榘,是“又一村”备办的筵席;梅兰芳到开封赈灾义演,是“又一村”的厨师为他司厨;周恩来、张治中、马歇尔三人小组到开封,饭菜也是“又一村”的“外送”。“又一村”成了开封饮食业的佼佼者而名震中州。

钱老板去世之后, 其妻弟为图己利而染指饭庄事务,并改弦易辙,背离了原来的经营管理方法,乃至掌柜、伙计之间意见不合。赵玉茹、黄润生、赵廷良、苏永秀、赵金峰等二十几位厨师、招待和会计,便共同出资,取“去旧迎新”之意,于 1945 年 8 月 10 日在中山路另开新号——又

一新饭庄。事亦凑巧，“又一新”开张后的第五天，日寇投降，第二次世界大战宣告结束，全市鞭炮齐鸣，人们皆大欢喜，果然是去旧迎新的景象。“又一新”更是门庭若市、宾客盈座，人们纷纷借此“吉号”庆贺一番。虽然“又一村”贴出“只此一家，另无分庄”的告示，也无济于事。由于“又一新”名师荟萃，技高艺强，肴馔精美，设备古色古香，较之“又一村”又胜一筹，不仅经常出入“又一村”的老顾主改弦易座，一批新食客也慕名而来，就是英、法、美、苏联以及日本的友人也频频登门，致使“又一村”名声大跌，由“又一新”取而代之。

解放以后，“又一新”生逢盛世，业务至今兴而不衰。

“五福”老号享盛名

傅 志 山 河

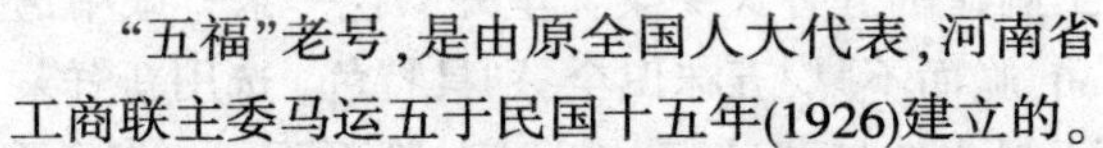

“五福”老号，是由原全国人大代表，河南省工商联主委马运五于民国十五年(1926)建立的。

“五福”号是经营清真糕点和酱腌咸菜起家的。马运五根据开封回族居民众多的特点，注意产销具有民族特色的清真糕点和五香大头菜、包菜芯等酱腌制品，深受城乡人民的欢迎。

“五福”糕点作坊设在东号后院。糕点师傅

王文敬,肯动脑子,遇事好“打破砂锅纹(问)到底”。一次,一位从西安来的顾客买了“五福”店的哈拉豆,在店堂里边吃边品:“你们的点心没做到家,哈拉豆发艮,不酥。”王文敬在后头听见,随即赶到柜上打招呼:“投师不如访友,请先生指教!”客人为王文敬的诚心感动,便一五一十地将配方、操作和注意事项如实相告。王文敬如获至宝,遂以清油、精浆精工细作,果然豆酥可口,香甜不腻。从此“五福”哈拉豆便出了名。

“五福”店的四季应时点心和传统风味产品,采用植物香油,素馅制作,外形美观,多有文印,口味清香,甜而不腻。主要有京八件、松沙酥、杏仁酥、白皮花色、什锦南糖、各味月饼等一百多种。其中尤以鞭蓉糕最为出色,做到外形美观,火色鲜明,面浆不老不嫩,“一不散”、“二不顶”(不顶嘴、不顶牙),“五不粘”(不粘铲、锅、案、盘、纸)。

“五福”咸作设在鹁鸪市清真寺南院内,有腌缸五六百口,最多时达到八百口。主要制作五香大头菜、包菜芯、西瓜豆酱、大芥、腐乳等。精工制作的五香大头菜,里外颜色一致,咸中透甜,脆而不腻,五味俱全,别具特色。选用新鲜菜蔬制成的包菜芯,甜咸适宜,脆而不面,鲜嫩可口,透果香味,为老少咸宜的回族小菜。

长葛绒

马平

长葛绒是长葛县传统的粗毛纺织品，原称刷绒、织绒、人造珍珠毛等，是我国毛纺织品中的一个独特品种。其外观与羔羊皮酷似，除具有羔羊皮的御寒、保暖等特点外，较裘皮又具有质地轻柔、吸湿、通气等优点，堪称毛纺织品之一绝。《河南通志稿》载："长葛县制刷绒畅销各地，颇受欢迎，此长葛特产也。"

据史料记载，长葛绒初创约在清康熙年间，距今已三百多年。长葛人从土布纺织中受到启发，试用羊毛纺线织布，然后以综刷起毛，进而用卤水冲洗，经反复搓打，制成酷似羔羊皮的织物，称之为刷绒。但由于当时清政府实行"重农业抑工商"的政策，长葛绒生产仅能作为小农经济的家庭副业，"有业则作，无业则息，农闲则作，农忙则息"。直到乾隆年间，随着清廷经济政策的变化，县内始有"泰兴合"之类的专业作坊。刷绒专业作坊生产较之耕田植谷有利可图，所以县城内外许多人家纷纷收徒雇工，以制刷绒为业。还有许多人家在汴梁建立刷绒作坊，以致开封一度形成刷绒作坊集中的刷绒街。而其后的一段时间，长葛因灾荒所致，工匠逃荒谋生，

刷绒业一度荒废。直到光绪六年(1880),有长葛老城人张虎妞由开封回故里，在老县城重建刷绒作坊,字号“和盛兴”。其后,刷绒生产在长葛重新振兴。1910年,清政府在江宁(南京)举办的南洋劝业会上,长葛绒以其工艺独特,质量优异荣获超等奖,闻名国内;1915年,在美国旧金山举办的万国商品博览会上，长葛绒又荣获银质奖而享誉海外。据《长葛县志》载:长葛绒“销行国外”,“日本亦常来函订购此长葛工艺之最显者”。长葛绒成为县内“出境大宗”。据1914—1937年的不完全统计，仅县城内外就有大小作坊37家,从业人数达千人之多,县城内外日夜机声不绝,外地客商纷至沓来,小小县城繁华若市。1937年,由于日寇入侵,政局动乱,交通阻塞,原料短缺,货币贬值,导致生产厂家纷纷倒闭。1944年,日军占领长葛时刷绒作坊仅剩“和盛兴”、“长丰”、“怡和”几家,且已奄奄一息。到1949年,全县仅存“长丰”一家,且名存而实亡。1950年由于人民政府的重视,长葛绒获得新生。

西太后受重金，康百万扬富名

焦金坤

河南巩县(现巩义市)有个依山临河的康店村，村上有一座豪华的地主庄园，这就是远近闻名的康百万住宅。

康百万原名康崇公。1900 年八国联军侵入北京，慈禧太后和光绪皇帝逃到西安，1901 年清皇室返京途中，于 9 月 25 日路过巩县。康崇公为博得慈禧欢心，献给慈禧白银百万两，慈禧因而称康家是“百万富翁”，并赠与满汉全席餐具一套。“康百万”的名号即由此而来。

康氏发家于清嘉庆年间。先是康云从、康应

魁父子在洛阳、巩县之间贩运粮食、布匹、土产、药材;后又从卢氏、栾川采买竹木,顺水放筏,同时利用灾荒之年,从河北、山东贩来粮食、私盐、高利盘剥,放债收租,聚敛财富,置庄买地。

康家在巩县、偃师两县方圆百里内的村镇,设置了上百个栈房。每个栈房经营二千亩左右的土地,兼管出租、收租、经商、放债。他们还在洛阳、开封、郑州、西安、济南等商埠,或独家投资,或合伙经营,开设了许多粮行、布店、钱庄、当铺、烟馆、酒店、杂货店、百货店、酱园、煤场、药铺等。据粗略统计,康家在鲁、豫、陕三省的田地达 18 万亩之多,每年仅收租就多达 4 千万斤粮食。

康家在聚敛了大批钱财后,为了光宗荣祖、炫耀门庭,从清道光年间开始在大坟坡大兴土木,修建庄园。大坟坡原为农民朱结实所有。因为听一位风水先生说此地风水独好,康家遂利用权势把大坟坡占为己有。

康百万庄园依山面河,建在蜿蜒起伏的邙山半腰,外形很像古城堡。寨墙用青砖条石砌成,高 10 米多。寨墙正门坐西向东,进门有一条 20 多米长、石砌砖拱的隧道,出隧道口便是主宅区,寨内面积约 10 亩多。隧道口外是一片广场,场西端有一块高约 3 米的石碑,上书"功垂桑梓"四字。自东而西,再折向南,有六幢临街楼房,围绕着寨内七座四合形的深宅大院,每幢临街楼房门楼上方自东向西曾悬挂有"五世同堂”、“孝廉方正”、“望隆山斗”、“慈恩波及”、“积善余庆”、“好善乐施”、“仁厚可风”、“谊重桑梓”等金字匾额。门口两侧，各有一对高低相等、体形相异、精工雕刻的青石狮子，雌雄相望。中院有青石假山，两侧放青石鼓一对，上雕云龙喷水图案。上房前边有极其精巧的小花亭。整个主宅院，厅堂高耸，院落毗连，楼房交错，幽深曲折。庭院地面，光滑平坦。

二门楼雕梁画栋，门楣题词铭文，古朴典雅。所有楼房均用带花拱砖起脊，两端装以兽头。宅内门窗均选用上等木材，精工雕刻，图案繁多，千姿百态。房檐下的立柱，配有雕花石墩。宅内还有大量石刻和木刻，有花鸟虫鱼、飞禽走兽、风花雪月、人物故事，雕工细腻，玲珑剔透。在主宅院内，刻在花坛上的高三尺、宽一尺半的“迎宾”、“宴客”、“躬耕”、“课读”四图，更是不可多得的艺术珍品。

整个庄园有优质木材制做的家具上千件，如八仙桌、太师椅、梳妆台、描金柜、茶几、书案等等。以顶子床为例，整床全用楠木雕成，床顶有帐沿三层，层层都有精致的浮雕，如“烘云托月”、“麒麟送子”、“花卉鸟兽”、“人物器皿”等80多种。床前踏板能放三尺见方的茶案。据资料记载，造一张这样的床需要十个精细木工干一年。康家仅雕花顶子床就有二十多张。

穿过中院，紧接着便是邙山脚下的窑洞群。这些窑洞，下石上砖，拱砌考究。窑分两层，上曰

天窑，开有大窗；中用楠木、紫檀木作棚，至今不翘不裂，平整光滑。其中有一座碑窑，内有十六块宽一尺五、长六尺左右的石屏，分别镶嵌在两壁。碑刻内容多系颂词，字体多样，或苍劲有力，或圆润流畅，运笔之妙，堪称书法中的上乘。据说康百万临死时，曾对子孙留下遗言：房产可卖尽，碑窑要保留；万不得已时，卖碑帖即能不绝生路。由此可见康家碑窑书法的艺术价值。

大寨南边，又是一片高耸的楼房，它比主宅院更为华丽阔绰，这是康家宴请达官贵人、巨商士绅以及婚丧嫁娶、过节敬神举行仪式的地方。院内有一座五丈见方的大客厅，厅内窗明几净，墙上悬挂着画有龙虎怪兽、奇花异草的中堂字画；条几上摆着玉雕“八仙”、紫檀木雕“福禄寿”三星；还有铜佛、香炉、座钟、插瓶、帽筒、唐三彩、宋瓷、珊瑚、水晶等古玩和贵重摆设。南宅大院东，还有一座书馆。

宅院的修建，先后用了 80 年的时间，建成庭院三十多处，楼房 313 间，平房 97 间，窑洞 73 孔，总面积 64300 平方米。整个建筑具有华北地区和黄土高原建筑的特点，兼取我国古典园林、宫廷和民宅建筑之长，蔚为壮观。

康家庄园是地主阶级压榨剥削劳动人民的铁证，也是劳动人民智慧和力量的结晶。它在建筑、考古、绘画、雕刻、书法、园林等方面，均有一定的研究价值。1961 年，河南省人民政府规定其为省重点文物保护单位，并建立了文物管理所。

豫西“刀客”见闻

王华农

民国初年，河南西部嵩县、洛阳、洛宁、宜阳、卢氏一带，遍地均是“刀客”(即土匪)。当时，常可听到人们“洛阳一带，无人不盗，无处无匪”的惊呼。

我家住于洛阳龙门以东之诸葛村，龙门山上便经常有“刀客”出没。他们少则十个、八个，多则五六十人，大头目称“架杆”，二头目称“二架”，多在夜深人静之时，进入村庄，大喊某某人送多少钱到某某处，保一家无事。也有时是“飘叶子”，即把写好的信件夜里塞入有钱人家门缝里。他们索要钱财的对象是豪绅、地主及大商人，对一般平民并不打家劫舍，老百姓亦不惧怕。在那年月，头等豪绅不敢在农村居住，举家搬到县城；二等人家大都住在镇子上。无条件搬迁到城镇的，便躲到邻居最穷苦之人家过夜。

待我上高小时，就听说乡间发生“绑票”的事；先把人绑走(即绑票)，再给其家送信，要在限定时间送钱去，否则，就要“撕票”。也有割一片耳朵皮送到那人家，进行威胁的。

后来，“刀客”的活动也愈来愈猖狂，竟发展到“打寨子”了。离诸葛村六里路的梁村，村里寨

子较高，住着一些中产人家，雇有人护寨。一夜，龙门南有几个大“杆子”过山来，包围梁村打破寨子，架走“票子”十余，拉去妇女二十余人，牲畜上百头。这一下可惊动了洛阳城。洛阳警备司令张治公派军队去龙门南“剿匪”，但这堂而皇之的“剿匪”部队的团长，就是两年前在伊川县被收编的“刀客”，这真是对现实的有力讽刺。

半句话惹丢一条命

王碧岑

在20世纪20年代后期，内黄县窦公镇发生了一起人命案。

一天，一个农民老汉路过窦公镇教堂前，见教堂门口站着一个外国传教士，便向同行的伙伴说：“洋鬼子！”不料这话竟被那位“洋大人”听见了，老汉便立刻被抓进教堂关押起来。乡亲们四处托人营救老汉，最后找到一个会说几句洋话的大学生，请他前往交涉。那位教士说：“叫我‘洋鬼子’，罪该万死！人可以放，但是必须受惩罚！”交涉的结果，是罚老汉六十元银币给教堂买口新钟。老汉的家人把全家赖以生存的二亩地卖了，筹够了六十元银币。老汉被释放回家后，进门一看，家徒四壁，一气之下，悬梁自尽了。

鸦片税

王华农

民国十五年(1926),豫西各县到处种植鸦片,尤以洛宁、卢氏最出名。驻在这一带的“镇嵩军”,均以征税名目大开财源。卢氏驻军师长范龙章,每亩收烟土二十两,共收五十万两。镇嵩军重要将领张治公,令其卫队旅长贾式平派一团人驻扎洛宁县城负责收该县烟土。收来烟土,一律用煤油桶装,以桶作为计量单位,自洛宁用骡马大车送往洛阳。本县红枪会闻讯包围县城,要分一杯羹。一时剑拔弩张,冲突一触即发,后经县长率绅士出面调停,才未打起来。笔者此时正随父母在洛宁县城,亲历其境。

“老虎庵”

王碧岑

民国初年,我还是儿童时期,老虎庵就给我留下了深刻印象。

在直(河北)、豫(河南)两省的大名、安阳、临漳、内黄四县的交汇处,坐落着一个古老而闻名

堂倌赵七

陈雨门

开封相国寺藏经楼后，民初有才开张的饭庄，名“得月楼”，因面对放生池，取“近水楼台先得月”也。偕白之徒，纠合无赖，前往施威、讹诈，饱醉之余，置屎壳郎于菜盘内，大兴问罪之师。堂倌赵七执而嚼之曰：“四川木耳，好脆、好香!不吃，多么可惜！……”众皆瞠目结舌，饭资只得照付，狼狈而去。于是，赵七之名大振。

除夕乞丐

陈雨门

旧社会，开封城内凡拜师入行的乞丐，江湖语称“杆上的”，每日讨得的钱物均须先悉数交公，而后由“老师”分配。惟年三十的清晨至正午，“放假”半天，所讨钱物，不拘多寡，概归自己处理。但午后即未刻以前，必须将“要饭棍”用拾来的红布条缠之，送至开封三皇庙由师父验收，藏于神龛之旁，不得再进行讨要活动，据闻这是江湖线上祖师爷的遗训：“贴上门对不讨饭。”又按三百六十行逢年过节，徒弟均得向师父送礼，可这“行”恰恰相反，师父却给徒儿“压岁”，年龄不分大小，一律给制钱十文或二十文，以示慈爱。过了“破五”(正月初五)解去缠棍红布，一一发还本人，在乞讨的第一家不许落空，以鼓励争取一年的“利市”。

打 孽

王华农

20年代，豫西民间流行“打孽”风气。由于这一带民风强悍，加之大小军阀各派系混战，武器弹药流落民间甚多。人们细故结怨，往往动刀动枪，加害对方。轻则致伤，重则殒命。被害一方之家属、近亲、好友等，为图报复，又伺机仇杀。如此恶性循环，民间称之为“打孽”。此风蔓延，为害至巨。洛宁县有杨凤鸣者，少有大志，在家乡联络绿林，参加“镇嵩军”，当上旅长。一次，带一营人回洛宁招兵，令随来军队驻于城外，自己带副官、马弁等十余人进城，下榻于一家大商号内，其时社会风气，以鸦片烟待客犹如今日之以香烟名茶待客一样。某夜，杨在送走宾客之后，躺烟榻上休息。其随从均本地人，多回家看视亲人，身边只有二三人。当地号称十八兄弟之痞棍，受杨之仇家指使，乘机包围商号，潜入院中，突以手枪自窗口向房内猛射，事出意外，杨及随从均被击毙。彼等复将尸体拖至街上，浇以煤油，以火焚之，惨状目不忍睹。杨之被害，即系“打孽”者所为。后镇嵩军驻防洛宁，杨之友辈大肆搜捕十八兄弟，捕后立即枪决。

响 器 饭

陈雨门

吹唢呐的，昔称之“吹鼓手”，古为丧乐工。豫东各县均呼之为“吹响器的”。在旧社会属于江湖上的“下九流”，诬之为“贱业”。雇请他们的人家，饷以席面时，较之一般客人有明显的区别。通常宴请盘碗例必偶数，如四盘八碗；对吹琐呐的，则多为奇数，汴俗称之为“响器饭”。招待宾朋尤以其新婚儿女亲家之席面，不慎误上三菜(如四大件仅上三件)，往往引起误会，以为有意“办丢人”，最为讳忌。而于吹响器的却以奇数为常，可见其地位之低下了。

海　报

陈雨门

旧社会称戏园里观众的座位为“池子”，舞台为“海子”，演员正式登台演戏叫做“下水”或“下海”等等，均江湖语。所谓“海”即江湖意。因之，张贴在戏园门口露布戏目的广告，当然称作“海报”了。

药　锅　忌

陈雨门

开封城郊，凡请中医治疗，所取草药，必由砂锅煎服。此种药具，若一家有之，前后同院，左邻右舍，以至全街、全村，均可借用。但借出家最忌送还。若送回，锅主即认为还者心存险恶，有意嫁祸于人。多年友好，甚至几代交情，因此而断绝关系者，不乏其人。少数人家至今仍有此风。

碰钉子

陈雨门

中原地区乡下人习惯把“碰壁”，说成“碰钉子”，这是有道理的。民国初年各县的城门、衙门、官宦人家的大门铁皮上，都镶有若鸡蛋大一排门钉。人们若进此门，往往有闭门不纳者；也有人时常在这些地方，被盘查、勒索，受尽种种欺负。他们在气愤之余，遂产生了这个“碰钉子”的俏语，以抒发内心的不平。

鬼婚记

李平一

清宣统年间，当时我虽幼小，但已懂事。我有三个姑姑，大的、二的均已成家，独有三姑嫁后一年，丈夫即死。三姑名叫香妮，我称她作“香姑”。香姑貌美、瘦弱，从来没有笑容，总是紧锁双眉，低垂泪眼，默默无声地做针线。

由于我父亲和三叔都远出作事，二叔便是一家之主。他抽鸦片、爱赌博，行为不正。将自己的亲妹子许嫁给距我村十五里路的黑岗村的人

要命的“祭灶”

陈雨门

从腊月二十三日祭灶这一天起，到年三十贴了春联这一段时间里，各商号便忙碌起来，讨帐索债在一天天地加紧。欠债者会时时遇到讨债人送来的“钱条”和皮笑肉不笑的面孔。还不起债的，三十六策，走为上策，避而不见，名之曰“逃年关”。因之俗称祭灶为“要命的祭灶”。

同时有不少商号，这时已盘清了存货，算清了盈亏。盈者全号眉开眼笑，准备大过新年，自有一派盈盈喜气。亏者便是另一景象。为了压缩开支，店主则用红纸封钱若干给伙计，说些请回家过年、前程无量之类的话，伙计接受红纸即是失业的开始，祭灶，对他们来说也是难过的关口。

“十 不 闲”

陈雨门

清光绪年间，京、津、汴梁等地盛行一种“莲花落”。演唱“莲花落”的艺人右手拿着一头系绳(牛皮筋)的两块竹板，左手拿着略小的五块系在一起的竹板，同时击打，故又称为“七块板”或“落子”。

最初的“莲花落”，仅是江湖线上的“俐子活”，所谓“下九流”中“响丐”乞食时的歌曲，也是随机应变的顺口溜，乐器和腔调都很简单。后来加进了单皮大鼓、小锣、小钟、梆子等十种乐器，表演者手脚一齐动作，因之“莲花落”又称做

“十不闲”。

据传，莲花落早在明朝，已流行于长江中下游以北一带。当时“莲花落”的唱词开头就有：“打十不闲的不害羞，挑着担子满街遛，南京收了北京去，北京收了南京游，南北二京都不去，汴梁城里度春秋。”可见这种艺术形式的活动范围之广。

民国初年，无名氏在《汴京竹枝词》中有：“某日某园演某班，金红海报贴通寰，河南梆子祥符调，更有三堂十不闲。”更可见“十不闲”已排为轴子戏，很受欢迎。

六十年前，笔者在开封相国寺西院曾听过这种“落子”。有两种：其一，演唱者，仅用右手拿一头系绳的两块竹板，未唱以前，先有一大段有急有徐的竹板打击，用以招徕听众，所唱多系瓦岗寨、三国、列国、水浒的故事，大多为一人，后增为二人对唱，且有切合唱段中情节的舞蹈动作。其二，演唱者坐于听众之前，立一木竿，上悬各种打击乐器，以绳分系于两手两足，演唱时则手脚并用，在先后缓急的打击中，别有一番风趣。唱腔近似“道情”和“快书”。所唱多系成套的《杨家将》、《陈三两爬堂》、《岳飞传》等。当时有绰号“十三红”者，名噪一时。他的经验是“十不闲”最注重口辙，口辙不清，则失其真谛。据闻他祖父曾受业于清嘉庆间的“抓髻赵”。

抓髻赵是演唱“十不闲”最有名的艺人。原名赵奎恒，彰德人，十四五岁乞食于北京，跟一

背挎篓的“响丐”学“莲花落”，将及十年。由于嗓音清脆，表演逼真动人，而且相貌清秀，很快得到王府王公的赏识。光绪十年间被召入宫，聘在宫内升平署担任教练，把莲花落授给太监们，连内监李莲英都向他学习过，在宫内红极一时。由于登台演出时必梳一抓髻，因而“抓髻赵”便代替他原来的名字。

据说他并不乐于只在宫中演唱，却常常到处为老百姓表演。他从十余岁到五十多岁的艺术生涯中，从打“莲花落”到“十不闲”的过程中，编创了不少新段子，他最拿手的好戏是《摔镜架》。清末来过开封，约住有三年，收了不少门徒，大多不得真传。惟“十三红”之祖父，为其得意门生。传至“十三红”的同时，还有“女落子”。以后，这种“十不闲”便日渐衰落了。

回忆樊粹庭

崔兰田

樊粹庭毕生致力于戏剧事业，写出了六十多个具有现实意义的反霸反封建的好剧本。为戏剧事业作出了不可磨灭的贡献。

1944年，我们全家到了西安，搭上豫声剧社的班子。樊粹庭先生知道后，立即跑来看我。为了培养学生，他把关灵风和另外一个女孩子送到我这里学习，有时我也到他们那里去给学生上课。我们很尊重他，都叫他樊主任。那时，我们住得很分散，虽然他来我们这里一趟要走很多的路，但还是经常来看我们。他很喜欢我的唱腔，常夸我和常警惕，说我们在一块演戏再好也不过了，化起妆来简直像一对银娃娃。我也不客气，喜欢什么样式的本子，就叫他给我们写，缺什么唱词就叫他给我们补。他写的词唱起来很上口，而且雅俗共赏，文化人喜欢，没文化的人也能听懂，词句严整，雅致精美，意境深远。我记得有一次我们演《天河配》，到了下午四五点钟的时候，他来新民戏院看我们。我说："《天河配》这个戏中有一段词太水，希望你能帮助重写一下。"他欣然答应，到隔壁珍珠泉洗了个澡后很快就写成了。化妆时，我学会了他写的新词，晚上演出就献给了观众。他写的词我很喜欢，他给我们改写了很多戏中的词，如《桃花庵》、《叶含嫣》等戏。现在我还清楚地记得他改写后的《桃花庵》中"九尽春回杏花开"那板唱的唱词：

送秋去迎春回苦度时光，
想起来久别的张才夫郎。
自那年虎丘山去把会望，
到如今十二载未曾还乡。
每日里依门户将夫盼望，
每夜里对青灯暗自凄凉。
听夜雨敲窗棂更鼓漏尽，
每夜里伤心泪滴湿枕旁。

我在西安的十几年中，樊先生从各方面给了我们很大帮助和支援。他的言谈话语都关心着我们的戏。有次，他看过我的演出后，开玩笑地说："你看兰田的出场，活像在舞台上踢皮球。"这使我想起我演出时出场的毛病，一出来先垫步，再蹉步，令人感到好笑。

樊先生对学生要求很严，一点一滴，化妆服饰都很讲究。他要求每个学生都要学习文化。为了培养学生，他不惜一切，甚至以重金去聘请教师。因此，他的班子演起戏来，比别人的都好。

1959年他正有病，我到西安去看他。他说："警惕(樊的夫人)，你先陪兰田说话，我上街买条鱼。"一席话之后，他真的提了一条鲤鱼回来。

如今，樊先生已经去世了。但大家仍深深怀念这位可敬的剧作家和戏剧革新家。

为义演樊粹庭两宴报界

王华农

民国时期，剧团到外地演出，须持名片向当地报社拜客，说些请示关照之类的话，然后宴请一番。此举已成惯例。民国三十三年(1944)，著名豫剧改革家樊粹庭领狮吼剧团，赴宝鸡公演其新编剧目，亦按惯例行事。不料宴客翌日，各报均登出与该团演出不利之报道。因我俩是老友，他一大早就跑来找我探问究竟，满头大汗，情急意惶。我也深感事出意外，语塞舌结，立即往各报社问其所以，原来是编辑、记者们认为樊只宴请社长、总编辑、经理三大员，眼里没有编辑、记者，于是联合起来，背着上司，实行“掉包”(即先写正面宣传之报道发排，待社长、总编看大样后，再让排字工人换上事先准备的反面文字)。樊不得已，只好又补一席，专请编辑、记者。一餐之后，立竿见影，报上就出现文章宣传樊粹庭对改良豫剧的重大贡献，并介绍狮吼剧团上演移风易俗之新编剧目，如：《霄壤恨》、《凌云志》、《叶含嫣》、《涤耻血》等。樊氏静思此事之先后，真是哭笑不得。

卖油郎独敲三台戏

李彬凯

民国以来，油梆戏在许昌红极一时，家喻户晓，人人皆知。然而，却很少有人知道油梆戏的形成和来历。那是清朝末年，当时从山西来了一个卖油郎，住在城西北三十里地的小董庄，自己动手炒芝麻，磨香油，因此，人们又称他“卖油董”。他黎明即起，挑上担子，走街串巷，吆喝卖油。手中拿着一个枣木梆子，敲敲叫叫，叫叫敲敲，时间一长，人们听到外边的梆子点，便知道是卖油董来了。他的油清净明亮，香味扑鼻，而且从不缺斤少两，人们都争着买他的油。因此他发了小财，日子也越来越红火。他每次卖油时，口中不时地哼个小曲，还拿油梆配点子，唱有词，声有板。有时，自己还编些顺口溜，随编随唱。这样天天出挑，天天唱，天长日久，就形成了有板有眼的小调。由于他手中积了些钱财，逢年过节时，就买些锣鼓家具，招来不少爱好者，相聚为乐，起名叫“锣鼓社”，后来，又请几位私塾先生，编写古典小戏和应时小调，还添置弦子配音，场面越来越齐全，渐渐为人重视，不断有人请去唱堂会，庆寿辰。名声传开，衙门五班知道了，把它接管过来，改名为“五班油梆戏”。接着，添置服装、刀把、行头，在城乡巡回演出，红极一时，这就是油梆戏的形成和由来。

“五班油梆戏”在许昌群众中的影响越来越大，城内的一些绅士们也跃跃欲试。不久，就仿效五班油梆戏的场面，另成一班油梆戏，名曰“二油梆”，五班油梆戏随之称为“大油梆”。大油梆属于衙门五班管理，二油梆属于四街绅士管理。后来，许昌搬运工人又组织了一个“一道辙”，人称“三油梆”，归独脚小车工人管理。至此，许昌的三个油梆戏相互媲美，许昌也一跃而被人们誉为“戏曲之乡”。

“黄马褂”并非姓黄

李彬凯

40年代初期，许昌艺苑出现了一个誉满中州的名艺人，他就是人所共知的“黄马褂”。然而，“黄马褂”并非姓黄，他原名赵延祥，河南省滑县人，自幼投师学唱坠子书，十几岁已在北京崭露头角。袁世凯于民国元年(1912)3月就任临时大总统，以后又在北京称帝，国号“洪宪”。这时，作为皇太后的袁母，已搬进中南海。她爱听坠子，经常派人叫赵延祥到中南海说书，一面横卧床榻抽着大烟，一面品赏着赵的演唱艺术。听到高兴时，当即奖赏银洋三十元。久而久之，为了进宫方便，她便命袁世凯赐给赵延祥黄马褂一件。从此以后，赵延祥身穿此褂，随时出入中南海，无人再行盘查。

袁世凯死后，赵延祥离开北京，到河南郑州、许昌一带演出，为了提高身价，招揽听众，每次上演，均将黄马褂悬挂台前，“黄马褂”就因此而得名。时间长了，群众误认为赵延祥姓黄，见面时往往称他为黄先生。他戒烟戒酒，身高体胖、双目炯炯有神。演出时，夏穿纺绸衣衫，冬着蓝缎皮袄，外套藏青大花马褂，头戴大沿黑礼帽，手拿剪板，仪表堂堂。他的唱腔宏亮，口齿清晰,字正韵圆,并善于刻画书中人物性格。动作形象,表演认真。他经常演唱的正本书和折子不下百部,而最为听众称赞者就有三十多部。如他的拿手书《赤壁之战》,把曹操的骄横、鲁肃的忠诚、周瑜的忌才、诸葛亮的多谋,演唱得淋漓尽致。又如折子书《偷石榴》,说的是小女婿爬墙到岳父家偷石榴,妙趣横生,能使听众捧腹大笑,掌声不绝。赵一人登台演唱,能与全班大戏对台而不输。因此,“黄马褂”的名字在黄河南北家喻户晓,人人皆知。

抗战胜利后，赵延祥带领十几名女演员在许昌西关组建聚乐轩茶社,售票演出。解放后,赵年老思乡,回原籍滑县。聚乐轩始改演曲剧,这便是许昌市曲剧团的前身。

“送客戏”变为“留客戏”

韩德英

著名豫剧表演艺术家陈素真,1928 年在开封初登台,因年小怯场,唱“砸”了,被观众轰下了台。在开封无存身之地,她的继父陈玉亭(名须生),只好带着她到杞县一带戏班搭班演出。她母亲望女成龙心切，看到当时豫剧男旦刘荣鑫演的《阴阳河》很受观众欢迎,便托人送礼说情,请刘荣鑫将《阴阳河》传授给自己的女儿。谁知刘荣鑫思想保守，怕自己丢了饭碗，只肯教给陈素真一出《三上轿》。《三上轿》是当时戏班的一出"送客戏"。所谓"送客戏"，就是"正本戏"演完之后，随便加演的一出戏，把观众打发走了事。陈母对刘荣鑫只肯授《三上轿》虽然心中不满，但还得以礼相待，表示承情。陈素真却暗下决心，起早搭黑苦学练习，虽早已学得烂熟，她说是不急于上演。只是整天哼唱，琢磨。她想这是个唱功戏，就要在唱腔上下功夫。她根据人物所处的环境和复杂心情，在唱腔上多加几个"腔弯"、"衬字"，一字一句地反复试验吟唱，经过一段时间，使原来干直的唱腔变得委婉花俏、凄楚动听了，虽然和原来的唱腔大不相同，但仍不失"祥符调"的风味。功夫不负有心人，当她将《三上轿》在"正本戏"后作为"送客戏"唱时，受到了热烈的欢迎。戏场气氛热烈，观众迟迟不肯走，一再鼓掌让她再唱，"送客戏"变成"留客戏"了，成为"陈派"代表剧目之一。解放后，当陈素真谈起《三上轿》时，曾这样说："现在如果让我再唱，观众就不一定给我喝彩。原来的新唱腔，现在听起来已经不新了。因此你们青年人只有不断创新，才能满足今天观众的要求，使豫剧艺术不断发展提高。"是的，艺术的生命力在于不断推陈出新。

留庄营戏楼

于传璧　魏　旭

留庄营戏楼，位于新乡市东郊的留庄营村。据台前嵌石和戏台东侧碑记及该村曹子定所藏《龙岗赵良玉日记》记载，该戏楼台基建于清康熙四十六年(1707)，台楼建于嘉庆十四年(1809)。

戏楼坐北朝南，面阔三间8.2米，进深两间7.35米。台高1.25米，楼高6.5米，通高7.75米。戏楼系硬山卷棚顶，上覆灰筒、板瓦，两条重脊，脊饰毁于“文革”中。两山墙用大方砖砌成，屋檐饰猫头、滴水、飞檐。

戏楼正面屋檐下立有四根石柱，柱高3米余，宽40厘米，呈八角形。柱正面磨光。两边四根柱上书有两副对联：

律吕调和依然是高山流水，
宫商迭奏好像那白雪阳春。

镜里灯花疑是火星流月夜，
眉间胭腻恍如红雨过春山。

四根明柱中间有一块大匾，上书“圣世元音”四字。下款为喜庆己巳年，会首刘甸立。

四根明柱下均置鼓形顶柱石，高45厘米。屋檐原有四个铁铃，每刮大风叮当作响，声音悦

耳动听,响彻四方。

舞台三面环墙，两山墙前端距舞台前约2米。东西山墙中间各设一圆八角形窗户。舞台中间用花格扇门窗隔开,分成前后台。格扇门上又有四块匾额。两边匾为“蕴莯”、“吐秀”,中间匾为“雁来”、“云归”。据该村私塾先生曹子定考证,匾系清嘉庆年间书法家赵良玉所写。

后台进深2.85米,为演员化妆休息之地。两侧有穿箱室。后墙两边有一石刻流水通道通往墙外,供演员洗脸倒水用。

据当地群众介绍，该戏楼是从安徽亳州取样,而又胜于亳州戏楼,设计新颖、别致、大方,素有“(黄)河北三府数第一”的美称。实属新乡市古代文物建筑之珍贵遗存，对研究我国古代戏楼建筑和戏剧艺术史有一定价值。该戏楼现为新乡市文物保护单位。

豫剧坤角初上舞台

陈素真

我八岁学戏,十岁时和二位师姐于1928年阴历二月二日开始登上舞台。因为二月二是“龙抬头”的日子,大人们要取这个吉利,要我们也能像龙抬头一样露头,大显身手。在我们上台之前,给我们起了新名字,用“真”字排,小喜叫张玉真,妮子叫王守真,我呢,因养父陈玉亭的关系而将王佩玉改成了陈素真。我们演戏的地点是开封相国寺同乐舞台。海报一贴出去,就轰动了整个开封城,原因是河南梆子中还没有过女演员,我们是首次登上豫剧舞台的坤角。可是,人们不看不知道,一看把头摇。因人小我们还坐不上椅子,非坐不可时,便由监场把我们拉上椅子,惹得观众大笑。我们上演的头一出戏是《日月图》,我演主角胡凤莲,王守真演小生汤子彦,张玉真演白凤莲,李德奎先生演胡府公子胡林。李先生只一场半戏,得了好多彩。我演了好长时间,一个彩也没有。这以后,我们把所学的十几个戏,全演了一遍就不演了。我们会的太少,人也太小,我的嗓子也太坏了,人家看看稀罕就不愿再看了。

我们这头一炮虽然没打响,可是我们作了豫剧坤角的开路先锋,历来不许十二岁以上的女孩子上戏台的严格制度,是我们打破的。从此豫剧的坤角逐渐多起来,而且出了许多知名度高的女演员。

当时相国寺说书棚内有四个唱坠子的:马桂枝、马双枝、马玉枝、范丽凤,她们看见梆子戏有了坤角,就拜了豫剧名角杨金玉为师改唱梆子。桂枝、玉枝、范丽凤后又重操旧业回到说书棚,只有双枝因嫁给杨金玉当了豫剧演员。当时双枝二十左右年纪,一双小脚,长得又俊,又是唱坠子的红角,改唱梆子,人们新奇,确是红了一阵。

1930年初夏我十二岁,在同乐舞台,一天忽然叫我上演个正戏,剧目是《反长安》。我很高兴,只是我那时太小,不懂得练功练唱,也不知道在台后先喊喊腔,就上场了。《反长安》是杨贵妃的戏,内侍太监、宫娥才女全是大男人扮演的,我在他们中间,像是马群里边一只羊羔,极不配堂。上场的第一句戏词是:"杨贵妃出宫来插花系凤。"这头一句就砸了。因我的嗓子像破锣似地难听,观众哄堂大笑。唱第二句,台下笑得更厉害了。我害怕,着急,第三句连弦也够不上了,台下不笑了,喊起倒好来了,我也吓哭了,词也忘了。就这样,我被轰下了舞台。我羞得抬不起头来,低着头走出相国寺。养父和母亲知我在开封是没饭了,就打算带我到外县去搭班,然而一时还走不了,必须得过阴历八月十五才能走,因为豫剧的老规矩是一年三季,腊月初九至四月初八是一季,四月初九至八月十五是一季,八月十六至腊月初八是一季。不到季头,演员不许走,班主也不能赶,不遵守规矩,半道打瓜了(豫剧把逃跑叫打瓜)捉回来,轻者打骂一顿,重者割只耳朵。到了季头,演员可随便走,班主也可以不用。一直等到过了八月节,我一家三口才到离开封五十五公里的杞县搭班。

十三岁收徒弟

陈素真

1931年的秋季，从开封来了个贫穷的中年妇女，她带个十岁的女孩，哭求我妈，要我收她女儿为徒。这妇人姓李，比我妈大七八岁，死了丈夫，没法度日，到杞县投奔我妈。我才十三岁，哪能收徒弟呢?但她哭求得可怜，我妈便把她们留下了。小女孩烧香叩头，拜了庄王爷，又拜了我。我比她只大三岁，她叫我大姐。她小名叫哼哼，大名叫李金花。收下她不久，又来了一个，是杞县三大名角中演花脸的冯吉有的女儿。杞县的三大名角，武生刘金亭，花脸冯吉有，旦角朱黑。冯吉有先生去世后，抛下了妻子儿女，女名凤阁。冯大娘托刘金亭先生要我收凤阁为徒，她托的人可算是托到家了，刘伯伯是我们最敬重的人，他提的事，哪能说个不字呢。一是刘伯伯的面子，二是名角的女儿。凤阁拜认我养父陈玉亭为义父，取大名叫陈素花。她才十二岁，比我只小一岁。

梅兰芳等义演赈灾

王仲成

20年代后期，河南遭逢严重的水、旱、蝗灾，旅居北平的河南同乡李敏修等人创建了旅平河南赈灾会(曾一度称为“移民救灾会”)。为此，京剧泰斗梅兰芳等人组织赈灾义演，以余叔岩和梅兰芳为主，压轴戏是二人合作的《游龙戏凤》。听北平人讲，余叔岩、梅兰芳二人除了义务演出外是互不配角的，因而这次义演票价很高，也很难买。这次赈灾募捐义务演出之所以能举办，原因在河南人陈锡九同余叔岩系多年好友，托余出面，约请梅兰芳等人，当时北平的著名京剧演员大都出场了。名京剧演员如《长坂坡》中饰演曹操的是侯喜瑞，扮演刘备的是王瑶卿。郝寿臣扮演张飞，杨小楼扮演赵云。特别是反串戏一场，梅兰芳扮演黄天霸，程砚秋扮演贺人杰，杨小楼扮演张杜兰，郝寿臣扮演一妇女，都能惟妙惟肖。这次义演，可谓生旦净末丑群英荟萃，唱做念打俱佳，无怪乎票价虽高，而戏报一出便抢购一空，买不到票的人只有向隅而叹了。这次义演为赈灾会捐款两千多元。

豫剧的第一张唱片

陈素真

1936年春，上海百代公司一位姓周的先生到开封，看了我演的《女贞花》，即托华丰泰的经理同樊粹庭商议，要给我灌唱片。一天，樊先生告诉我，明天的日场戏叫我歇了，中午叫我去寺后街路北一家西餐店找他，百代公司的周先生要看看我。我一听就害怕了。我最怕见生人，就是不去。他们去说服了我妈，母命不敢违，只好硬着头皮去吧。一进去，穿洋服的人都冲我弓腰相让。我急忙鞠躬还礼，也学他们，伸手相让。上这样的楼我也是第一次。我上过兰封县的戏楼，上过吴庄杜雅臣家的楼，这样的楼还是头一次看见。我演戏老上假楼，今天却要上真楼了。

周先生问我多大了，我说十九。他说十九岁灌唱片，在百代公司还是第一个。又问我，灌十张唱片，送给我两千元现大洋行不行。老天爷呀，我哪会说个行不行呢？

周先生说，唱片一面是三分钟，两面六分钟，不能多，也不能少，叫我和乐队练准确，以免灌片时添麻烦。粹庭这时又向人家提议附带着给山东来的唱小生的赵义庭也灌两张，人家也答应了。

十张唱片定的是《三上轿》四片，《霄壤恨》两片，《义烈风》一片，《柳绿云》一片，《涤耻血》一片，《三上关》和《春秋配》一片。这是我第一次灌唱片，也是豫剧的第一张唱片。

虞洽卿看我演出

陈素真

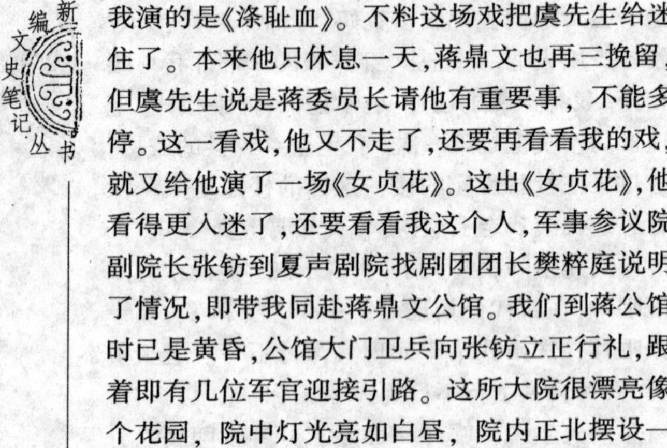

1941年夏季，上海闻人虞洽卿乘飞机经过西安，陕西省主席蒋鼎文招待他看了我一场戏。我演的是《涤耻血》。不料这场戏把虞先生给迷住了。本来他只休息一天，蒋鼎文也再三挽留，但虞先生说是蒋委员长请他有重要事，不能多停。这一看戏，他又不走了，还要再看看我的戏，就又给他演了一场《女贞花》。这出《女贞花》，他看得更入迷了，还要看看我这个人，军事参议院副院长张钫到夏声剧院找剧团团长樊粹庭说明了情况，即带我同赴蒋鼎文公馆。我们到蒋公馆时已是黄昏，公馆大门卫兵向张钫立正行礼，跟着即有几位军官迎接引路。这所大院很漂亮像个花园，院中灯光亮如白昼，院内正北摆设一席，东边一席上，全是花枝招展的太太们。她们一见张钫领了两个男人，乱说："没来，没来。"我心想：谁没来呀？正北席上的中间，端坐着一位瘦小枯干、身穿蓝绸长袍的老人，就是赫赫有名的虞洽卿。他对面一位穿军衣的胖子，中等身材，大约四十来岁，是蒋鼎文，一位穿西服的是铁道部部长好像是姓何，还有一位军官。

我们进去时，是张钫在前走，樊粹庭在中间，我跟在后边。正席的几位见张钫来了，都离坐相迎，一齐问："怎么没来呀?"张钫说："来了，来了。小伙子，快过来，让虞先生好好看看你。"又转脸对虞洽卿说："这就是你喜欢的陈素真女士。"他这一介绍，所有在场的人无不愕然。因为他们只在台上看过我的表演，在他们的想象中，我当然是摩登时髦的女戏子，尤其是今天来见贵客，更会浓妆艳抹，加倍地修饰打扮了。他们万万想不到戏台上仙女般的人，台下竟然是个"大小伙子"。我是短发背头，穿一套半旧的草绿色布制服，走路是昂首挺胸，没有女儿态。我除演戏之外，从没用过脂粉香料等等的化妆品。凡是看过我演戏的人，乍一见我本人，都好像是不相信似的。

虞洽卿让我挨着他坐下，问这问那，他说：他见过很多艺人，可从没有见过像我这样的老实，这样简朴的。这要不是看了我的戏，哪会相信我是个演员呢?还演得那样好。他这一夸我，同桌的几位，包括蒋鼎文，也都对我夸起来了。

虞洽卿说："我真喜欢这孩子。"又问我："你知道胡蝶吧?"我说："知道。"他说："她是我的干女儿呀。"他说了这话，见我呆头呆脑地看着他，没接话，又接着说："我想接你到上海去演戏，你愿去吗?”我说:“火车不通,怎么能去呀?”他说:“只要你愿去,火车不通没关系,可坐飞机嘛。”他这才向那些冷在周围的人们说:“她到上海一演,准红。”蒋鼎文等人说:“当然了,有你老人家捧她,能不红吗?”虞说:“你去上海,一切都有我哩,你演的很好,剧情好,唱的好,表演好,更难得的是吐字清晰,一字一句我都听得懂。我从来不随便夸人的,若不是爱看你的戏,我昨天就走了。”蒋鼎文说:“是的,虞先生原定只在这里住一天,他老人家我们挽留不住,哪知倒被你的戏留住了两天。今天还要非看你本人不可。”虞还说:“胡蝶是我的干女儿,我更爱这个孩子,艺人中哪有这样朴素的老实人啊。”他这样又一说,迎合接话的可不止是蒋鼎文一人了。只有樊粹庭一人看着我微笑不言,其他人全接上了,异口同声说:陈女士你太幸福了,虞先生有了个电影皇后的干女儿,今天在这里又有个豫剧皇后的干女儿,我们为你老人家高兴、祝贺。又对着我说:“你还不赶快磕头,等什么呀?”这一来,虞高兴地拿起酒杯,站起身,我虽然低头未起,但心跳脸热,我憎恶艺人认干爹,不知如何是好。张钫忽然拦阻说:“虞先生收义女,这是件大喜事,可不能如此简单草率。陈女士还有戏,她这就得走,明天在我家,咱们隆重地办一办,好不好?”众人齐说:“好极了,好极了。”这才算解了我的围,我借口化妆告退了。

第十六届华北运动会

杨根来　李淑善

1931 年 5 月 30 日，华北体育联合会执行委员会决定：第十六届华北体育运动会定于 1932 年 10 月中旬在开封举行。为组织好这次运动会，1931 年 8 月成立了以河南省民政厅长为委员长的筹委会。鉴于原体育场场地狭小，决定在开封龙亭后的满城旧址上兴建一个大型的体育场。建成后体育场面积比原来扩大了几倍，有田径场、网球场、篮球场、排球场、足球场等专业场地，另外还有办公室、主席台及其他设施。整个体育场可容纳观众近三万人。

大会前夕，组成了运动会领导机构。张学良、杨虎城、傅作义、邵力子等十六人被邀请担任名誉会长。河南省主席刘峙任会长，李敬斋等十六人出任副会长，并且组成了以张伯苓为首的竞赛委员会，张伯苓出任总裁判。

10 月 10 日上午八时，第十六届华北运动会在新落成的河南体育场开幕。这次运动会的规模是空前的，参加这次运动会的有十个省、市、区的运动员共七百六十二名，其中河南队占一百五十七名。特别引人注意的是东北三省运动员，高举着“收复失地”、“赶走日本帝国主义”的横额走在前面，观众报以热烈的掌声。比赛分男子部高、中级和女子三部，比赛项目有田径、全能、排球、网球、棒球以及垒球等共十四个项目。我国著名的短跑宿将刘长春，代表辽宁队参加了男子部高级的田径赛，并取得冠军。运动会期间，北平、青岛、山东、辽宁和河南等地国术馆，还特为运动会举行了精彩的表演。

这次运动会的成绩，北平队独占鳌头，河北和山东次之。河南队也涌现出一批表现突出的运动员：如女运动员原恒瑞，一人夺了标枪和垒球掷远两项冠军，焦玉莲获得女子一百米跑和二百米跑两项第四名；男运动健将姚光乾，在男子部中级比赛中，一人独得二百米、四百米跑两项冠军，一百米跑第二名，成为河南运动员中的佼佼者。在全部比赛中，河南运动员共获得五项第一名、四项第二名、五项第三名和八项第四名，取得令人满意的好成绩。

10月13日下午，全部比赛结束。下午五时举行闭幕式，省主席刘峙致闭幕词。第十六届华北运动会宣告胜利结束后，开封龙亭运动场也就叫“华北运动场”了。

河南体坛宿将原恒瑞

毛成身

20世纪30年代，在河南体坛升起了一颗耀眼的明星，她就是北仓女中的学生原恒瑞。

原恒瑞1917年出生，河南省修武县人。在小学读书时，就酷爱体育活动，多次参加地方举办的运动会，崭露头角。当她考入开封北仓女中后，多次参加全省、华北地区和全国运动会，成绩优异，成为当时河南体坛名将。

1932年10月10日至13日，第十六届华北运动会在开封举行，原恒瑞奋力拼搏，力挫群雄，一人独获女子标枪与垒球掷远两项冠军，声震省垣。当时她只有十五岁。第十七、十八届华北运动会上，原恒瑞又夺得女子标枪和垒球掷远冠军，实现了“三连冠”。

1935年在全国第六届运动会上，十八岁的原恒瑞又创造了女子标枪掷远最高纪录——28.55米。

陈氏太极拳

王　桂

少林武术与陈氏太极拳是武林中的两株奇葩，二者的故乡均在河南。

据陈氏族人自述，明朝初年，怀庆府(今河南沁阳一带)屡遭兵燹，乡镇败落，人烟稀少，官府强迁山西之民填补。洪武五年(1372)，陈家沟陈氏的始祖陈卜，由泽州(今山西晋城)原籍，率全家逃奔山西洪洞县，复又被官府强迁到怀庆府河内县(今河南沁阳)，在该县东南三十余里处定居下来，当地人称此处为陈卜庄，至今尚存。后因该处地势低狭，两年后，即洪武七年，陈卜又把全家搬到温县东的常阳村。以后由于陈氏人丁繁衍，人们就把常阳村改称陈家沟了。

陈卜精通拳械，于农耕之余传教子弟。陈氏拳械历代相传，至陈氏第九代陈王庭，方有自成一家的太极拳问世。第十四代陈长兴(1771—1853)，才传给外姓杨露蝉。其后又经过长期的发展、衍变，逐步形成了太极拳的四大流派，即以杨露蝉(1799—1871)为代表的杨派，以武禹襄(1812—1880)为代表的武派，以吴鉴泉(1870—1942)为代表的吴派，以孙禄堂(1861—1932)为代表的孙派。如今，太极拳已行遍全国，其普及程度不亚于少林武术。

“太极”原义，是指原始混沌之气，也就是派生万物的本原。《易·系辞上》说：“易有太极，是生两仪，两仪生四象，四象生八卦。”太极动而生阴阳，由此推行，涵包万象。太极拳中的“太极”二字，含“天机自然运行，阴阳自然开合，一丝不假强为”之意，“时无可名”，“名之曰太极”(见《太极拳论》)。

太极拳由一系列螺旋运动组成，一气呵成，如行云流水，绵绵不绝。用力方法以缠丝劲为主，讲求“寸劲”的锻炼。太极拳用劲，灵捷无形，手到劲发，未中敌之前无劲，既中敌之后无劲。只在中敌之刹那发劲，一发便收，疾如闪电。这就是所谓“寸劲”。

在实战技击中，太极拳讲求以静制动，以柔克刚，以顺避害，以“听、化、拿、发”四种内劲，后发制人。

现在流行最广的太极拳一、二路，系陈氏十七世陈发科(1888—1957)晚年所定。第一路拳共八十三式，动作较简单，柔多刚少，速度较慢。第二路拳又名炮捶，共七十一式，有“窜蹦跳跃、腾挪闪战”诸动作，疾速紧凑，刚多柔少，着重锻炼寸劲。推手是陈氏太极中的对抗性练习，要求舍己从人，意在人先，以粘、连、黏、随等巧妙技法，达到“人不知我，我独知人”的出神入化之境，令对手“引之使来，不得不来，放之使去，不得不去”。名手“放劲”，只须轻轻一拦，便可将敌手跌到数尺以外。1928 年，陈氏第十八世陈照丕(1893—1973)曾在北京立擂，连打十七天未逢对手，被聘为南京国术馆教练。陈氏第十九世陈小旺，深得家学奥妙，在 1980 年、1981 年两届全国武术观摩大会上均获太极拳冠军，为陈家沟的历史写下了新的一页。1982 年，陈小旺创编了陈氏三十八式太极拳，受到武术界的重视。

现在，陈氏太极拳已流布世界，日、美、英、法等许多国家还成立了太极拳研究机构。不少国家特意邀请我国武术教练去传授太极拳，还有为数众多的港澳同胞和国际友人慕名而来，到陈家沟太极拳学校拜师学艺。陈氏太极已成为国之瑰宝、民族的骄傲。

光绪年间郑州堵口

王质彬

清光绪十三年(1887)八月十四日,郑州十堡(即今石桥)黄河险工上首发生漏洞而决口。开始口门宽三四十丈,因抢护不及时,后口门陆续刷宽至三百余丈,遂至不可收拾。洪水波及中牟、尉氏、扶沟、西华、淮阳、祥符、太康、项城、沈丘、鄢陵、通许、商丘、杞县、鹿邑等县,南流入淮后,皖北诸县也被淹没,灾情严重。

郑州十堡决口后,清廷甚为重视。除将河南山东河道总督成孚革职外,九月二十九日令李鹤年署理河道总督,会同河南巡抚倪文蔚筹办堵口大工。十二月又加派礼部尚书李鸿藻至河南坐阵督工。堵口工程自十三年汛后起,至十四年五月二十日,虽赶筑东、西坝五百余丈,因汛期将至,难以继续施工,不得已而停顿,功败垂成。朝廷闻讯震怒,立将李鹤年革职,并与前河督成孚一道"发往军台效力赎罪"。李鸿藻、倪文蔚也降旨革职留任,并派广东巡抚吴大澂署理河道总督,赶办堵口事宜。

光绪十四年黄河大汛过后,吴大澂统率员工,积极进堵,经数月奋战,至十二月十九日堵口合龙成功。事闻朝廷,以吴大澂能够"迅赴事机,实心筹划,不负委任","赏加头品顶戴,补授河东河道总督",并"加兵部尚书衔"。两年堵口,共耗银一千九百余万两。用款之巨,为清代众多堵口之冠。

在这次堵口中,吴大澂还奏经朝廷批准,架设了山东济宁至河南开封的电报线路,为工地购进小铁路五里、运料铁车一百辆、电灯一架,由外地调入水泥数千桶。为黄河堵口引进西方技术、器材之开端。

堵口胜利后,吴大澂从实践中认识了堤、坝、滩之间的唇齿相依关系,在荥泽八堡(今郑州市李西河村附近)筑坝时立了一碑,文为:"老滩土坚,遇溜而日塌。塌之不已,堤亦渐圮。今我筑坝,保此老滩,滩不去则堤不单。守堤不如守滩。"此碑至今犹存。

魏源与黄河

王质彬

“浊河淤千里，一淤辄寻尺。屈指三千年，几决几淤积”。这是清人魏源在河南考察黄河时发出的感慨。

魏源是清道光年间的著名学者和爱国主义思想家。鸦片战争后，他目睹西方侵略者践踏祖国山河，一方面主张振兴武备，抵御帝国主义的入侵；另一方面又提出了改革水利、漕运、盐政的许多建议，企图祖国富强起来。当时，黄河河患连年不断，几成了国家心腹之患。为了探索黄河治理策略，魏源从苏北、皖北沿河西行，经过河南商丘、兰封、开封、郑州、洛阳，西抵潼关，风尘仆仆地对黄河进行了实地考察。他看到，清初二百年来只知防河不知治河的结果，河道越淤越高，堤外平地也屡漫屡淤，徐州、开封城外地面甚至已和城墙差不多高了。面对此情此景，他认为，如果不给黄河另筹出路，仍然走堤上加堤的老路，随之而来的必然是“堤日增，工日险”，“下游固守则溃于上，上游固守则溃于下”，“塞于今岁难保不溃于来岁”，局面将是无法收拾的。

在河南考察后，魏源于道光二十二年写出了颇负盛名的《筹河篇》，主张根据黄河的特点

因势利导，让黄河于北岸改道东北流，至山东张秋穿运河会大清河，至利津入海。他甚至断言："人力纵不改，河亦必自改之。"果然不出他的预料，仅在十几年后的咸丰五年(1855)，黄河就在河南兰封铜瓦厢(今兰考县)决口改道夺大清河入海了。

徐世光濮阳堵口

王质彬

民国二年(1913)七月，盘踞在直隶濮阳(今属河南)境的土匪刘春明部，为抗拒官方团警围剿，掘开濮阳县双合岭黄河堤防。当时口门不宽，流势平缓，堵塞本不困难，但因袁世凯政府正对南方用兵，未予置理，此后口门不断扩大。至民国三年汛期，双合岭口门已宽八百余丈，如再不堵口，万一北金堤出险，黄河洪水将波及直隶、山东两省更多地区，灾害更甚。民国三年十一月，袁政府决心堵塞决口，并派国务卿徐世昌之弟徐世光赴濮阳主持堵口工作。

徐世光到达濮阳后，经短期筹备，民国四年春节一过即正式开工。二月下旬西坝各工完成，三月六日东西坝进占开始，六月二十九日口门合龙闭气。但因冬季施工时部分堤段系用冻土筑成，质量太差，合龙还不到一个月，七月二十四日又冲决一口，口门宽六百余丈，后由大名道尹姚联奎主持堵筑，于十月最终完成。

因为徐世光来头大，请款相当容易。开工伊始，他申请堵口款537万元，虽未完全批准，但也给他拨了438万元。据他自述，在他堵口期间实支大洋321万元，最后结余35万元。他还不无自豪地宣称：因他办理堵口迅速，实支比预算节款200余万元，还受到元首(指袁世凯)的传令嘉奖。

从清末至民国，河工贪污之风极盛，不少堵口者发过横财。这次堵口后也有人说徐世光贪污了大量公款，有人甚至说：徐某濮阳堵口，请款600万元，结果三分之二落入了个人腰包。这种说法，显然有些夸大，不尽符合事实。但是，一次堵口耗资300余万银元，几乎相当直、鲁、豫三省二年多的治河经费，而工程质量又那么差，要说没有问题，也是难以使人置信的。

河大王栗毓美

王质彬

河大王乃主管黄河之神，大多生前为治河名臣，死后由皇帝册封成神。据清光绪年间出版的《敕封大王将军纪略》记载，明、清受封河大王的共有六人，栗毓美为其中之一。

粟毓美，字朴园，山西浑源人。在河南仕宦多年，任县令及藩司时曾多次与黄河打交道，道光十二年(1832)参与祥符抢险，功绩卓著。道光十五年擢升河南山东河道总督。莅任不久，他即乘小舟遍历黄河南北两岸视察。行至阳武，发现大堤两面皆水，既无备防石料，取土也甚为困难。他当机立断，决定收买民砖修成砖坝，以御横流。工刚成而大水至，砖坝屹立无恙。从此他知砖坝可用，在河南各处广设窑场烧砖，大力推广砖坝。行之数年，成效显著。同时，他于每年大汛期间，必亲临黄河岸边研究河势工情，对堤坝情况了如指掌。何处将生险，经毓美指点，水至辄如其言，无不叹服。道光二十年(1840)，粟毓美卒于任。死后吏民思念，为其建庙祭祀，后经皇帝加封为大王，列入祀典。

粟毓美倡导的砖坝，民国年间仍甚为普遍。解放后，河务部门大力推广石坝，砖坝才逐渐绝迹。

合龙庆典中的“神棚”

王华农

1947年3月15日，黄河花园口堵口“合龙”，引黄水一泻而下，回归豫鲁故道。黄河水利委员会在郑州举行盛大隆重的庆祝会，专一派车至开封，迎接省会新闻界前往观光。笔者时任《大河日报》社副社长，有幸参与。会上对堵口复堤工程有功人员进行褒奖，欢宴与会来宾，自不在话下，令人惊异的是：会场西南设一座“神棚”，正中玻璃器皿中毕恭毕敬地供着一条盘成一团、昂头向天的黄色小蛇，蛇前罗列供品，炉中青烟缭绕，一些善男信女，对之叩头跪拜，络绎不绝，焚香尽礼，诚惶诚恐，都说这是河神“栗大王”显灵。记者团参观时，《河南民报》副社长傅恒书说：“如写大会花絮，这倒是很有意思的一条。”据工程局一位官员谈，历代对治理黄河建有特殊功勋的名臣武官，均由朝廷赐以“大王”或“将军”的称号。“栗大王”，就是清代一位治河功臣，殁后才封的。由于我国自古以来就有“龙”能治水的神话传说，如四海之中有龙王，大江大河之中有龙神，蛇形类似画上之龙，这大概是将此小蛇当作“大王”化身敬奉的来历吧。记者们在回开封途中，议论所见所闻，以为民国建立已三十六年，作黄河堵口工程局局长的朱光彩(淅川人)，曾在西洋留学，但却仍沿袭清代传下来的习俗，在合龙庆典中高搭“神棚”，可见封建迷信思想影响之深。

司星聚的《年饥》诗

司绍晞

晚清诗人司星聚(1846—1900),字奎五,号芦坡居士,新郑小乔乡大司村人。工诗赋,有文名。其诗婉约清丽,民国以来的《郑县志》均有所记载。近在新乡市图书馆发现他的《荫香斋诗草》,为汲县学者李敏修整理《中州文献》时所搜集。此稿中刊有《年饥》诗一首,描绘了清光绪三年(1877)华北地区旱灾时的悲惨情景,全诗如下:

苍昊本仁爱,胡竟不垂怜。自昔久不雨,而今已三年。秦晋遭饥馑,白骨蔽山川。

大河望南北，饿殍亦万千。殁者长已矣，存者岂易全。太半鬻儿女，谁复望团圆。道中人相食，忘却腥与膻。顾此伤心目，昼夜徒忧煎。

按民国五年《郑县志》：(光绪)“三年正月初一日，黄霾大风，春无雨，入夜地腾火光，古书谓之磷火，主亢旱。本年大饥，人相食，逃亡饿毙，十室九空。”此诗反映了当时的灾荒情况，深有杜(甫)诗遗意。

张钫谈河南三多

王华农

1945年春夏之交，时任国民政府军事参议院副院长的张钫，在河南省教育厅去陕人员陪同下，于西安皇城大院内，向由豫西南流亡至陕的几千名中学师生讲话。这天张钫身着便服，拄一手杖，看起来精神满好，讲话中倾注着对桑梓关怀之情。

他说：“咱们河南抗战期间有三多，一是出军粮多，二是出壮丁多，三是青年学生从军多，这是人们所公认的。有好多青年学生投笔从戎，参加了青年军，去打日本。河南人对抗战的贡献是很大的。现在，河南大部分地方都沦陷了，你们这么多教员学生跑到西安来，连一个月三斗

八升半的口粮,还是我这个军事参议院副院长,拿老牌子给要来的。”说到这里,不胜感慨,最后意味深长地说:“你们永远不要忘记自己是河南人,要为多灾多难的河南父老多作好事。”

张钫讲话之后,特地在西安他的五味什字公馆,用便饭招待流亡西安的各中学校长及教工代表。

这批师生到西安后,食宿都成问题。张钫利用其政治地位及社会声望,协助河南省教育厅去陕人员及河南同乡会同各方进行联系,为师生们安排住所,发给口粮。后来又把他们分别安置到西安以西的扶风、武功、眉县各县,并根据条件先后复课。

日军大屠杀

刘梦成

1944年春,日军攻陷洛阳后,仓皇撤退的第一战区副司令长官裴昌会的夫人、女儿和外甥三人,在警卫连一百余人护送下,到宜阳县深山区穆栅关隐蔽。警卫人员日夜在村头站岗放哨。一批商人和十区联师的二百余师生也逃难至此。

几天后,日军突从嵩县深山偷袭过来,村中群众和学生听到枪声,慌忙逃避。日军追赶人群疯狂射击，血肉纷飞，死伤惨重。裴昌会的警卫连因寡不敌众，难以支撑。日军冲进村中后大肆杀伤，鸡犬不留。裴昌会家属三人全部遇难，尤其令人发指者，有些女生是被鬼子兵奸污后杀害的。

洗劫之后，全村硝烟滚滚，一片废墟。幸存者无不悲愤填膺，肝胆欲裂。裴昌会解放战争中在西康起义，建国后任全国政协委员、民革中央副主席。

日本侵略军在修武血腥暴行

毛成身

1938年2月18日，日本侵略军侵入修武县，疯狂地实行“杀光、烧光、抢光”政策，使修武人民遭受空前浩劫。据不完全统计，全县直接惨遭日军杀害的达5634人，间接死于战祸者达47300人，被烧房屋87874间，被抢劫粮食196万石、家畜40205头。

1939年农历七月二十日早饭后，日寇借口我抗日军民袭击李河火车站，就在该站附近的秦庄制造了骇人听闻的大惨案。全村当时仅20多户，竟死86人；342间房屋被烧毁206间。农民秦德洞的妻子，已怀孕七、八个月，日本鬼子强行脱光她的衣服，用刺刀挑开她的肚皮，扒出胎儿,穿在刺刀上,围看胎儿颤动取乐,等胎儿不动了,随即扔给身旁的狼狗吞吃,并把秦德洞全家及从他家坑洞里搜出来的十几个小孩子,全用刺刀戳死。日本侵略军在秦德廉家中搜出了十几个儿童,把他们拉到村西口麦场上,烧着一个大麦秸垛,然后把孩子们一个个扔进火海,全部活活烧死。最后日本鬼子把全村抓到的数十名男女老幼,驱赶到秦德功家的一个屋内,先用机枪扫射,又闭门放火烧房,焚尸灭迹。日本兵走后,李小眼的爷爷从死人堆里苏醒过来,亲眼看见当时才一岁多的李小眼，仍哭着爬在他已被惨杀的母亲胸脯上。

1942 年农历二月二十六日早晨，驻守在修武、木栾店、小董、清化、待王、焦作的日伪军,从四面出发合围，把四面八方逃难来的老百姓围困到了北睢村，并挨家挨户把本村和逃难来的群众,逼到了北村园、北场和东南场三处,用机枪扫射、大刀劈砍,屠杀无辜平民 800 余人,尸叠成堆,血流成河。大街小巷、农家庭院,到处尸枕狼藉,惨不忍睹。北街共有 80 多户,只有两家没有死人,其余家家有人死,户户有血迹,少则死一人,多则十几人。王风田一家就有 12 人被杀死,王良典等 20 多家被杀绝。数十辆大车向村外运尸,整整运了四五天。

制毒贩毒的“中和记”

杜金萍

在二十世纪二三十年代，豫北人提起“中和记”，没有人不痛恨的。

1916年，博爱县大辛庄村的丁老三、闪文章等为上海“老义军”鸦片馆贩卖鸦片，1917年开始制造鸦片。1929年，在上海鸦片头子许汉青的支持下，闪文章等合股成立了制毒公司“中和记”。原料多来自大连、天津等地。后又从上海邀来制毒技师丁松林、路向云等五人，即开始大量制造。

“中和记”雇用工人一百余名，生产毒品红丸，每年多则四次，少则两次，每次可造八百件(每件二十两，一两五百丸)。另外，还产白面、小磨、料面等毒品，总产量超过红丸数倍。

毒品销售南至南阳，西至西安、宝鸡，北到石家庄、北京、天津等地。“外埠毒贩络绎不绝，日聚五百余人”。

大辛庄是回民聚居区，大多数人原以贩卖羊肉为生，在“中和记”的影响下，大辛庄及西关制毒的个体作坊与日俱增。仅大辛庄、西关两个村就有175户(245人)从事毒品生产，其中较大的有31家，如云记、公记、文记等。

毒品严重毒害了博爱人民。据1946年统计,博爱原有居民179700人,吸毒者6300人,占总人口的2.85%。有许多人因吸食毒品而债台高筑,卖儿卖女,甚至灭门绝户。

“中和记”等毒品制造厂大肆制造毒品,危害人民的健康,激起博爱人民的公愤。1929年,冯玉祥主豫期间,禁毒官兵放火焚烧了“中和记”作坊,将路向云等八人枪毙于焦作。主犯闪文章逃脱后,贿赂了军阀孙殿英,在其庇护下,“中和记”又因有武装保护,贩毒售毒的生意反而越做越大了。

此后,国民党政府曾几次煞有介事地“肃毒”,但都不了了之。1933年,国民党团长胡洪震围剿了大辛庄。据县志记载,胡所属部卒将大辛庄团团围住,禁止任何人通行,大有决不善罢甘休之势。胡亲率一部分官兵直奔“中和记”的厂址东寺。进去后,在他的面前堆放的竟是白花花的银元,胡为白银所动。他装满了腰包后,匆忙出厂命令士卒收兵回营。事后,“中和记”为感其“大德”,又送了不少“礼品”,于是“围剿”不了了之。这件事,引起社会各界的强烈愤慨。为了掩人耳目,胡对大辛庄又进行了“大清查”,结果毒品一点也没有搜到。原来在清查的前一天,胡就通知了“中和记”。

其后,国民党庞炳勋部也多次“围剿”,但因受金钱贿赂,都以明剿暗保而告终。

1938年,日军占领博爱。“中和记”公开投靠日本，相继聘请日本向井、无川、小子不等为顾问，又公开组织训练了二百八十余名武装，配轻重武器千余，载重汽车一辆，设兵工厂私造枪支弹药。在武装保护下，“中和记” 制造及销售毒品，已完全武装化、公开化，进入最猖獗的时期。

1945 年 8 月，八路军消灭了驻守博爱县城的日军，解放了博爱全县。民主县政府成立后，立即颁布了禁烟令，并直捣制造鸦片的巢穴大辛庄，镇压了恶贯满盈的制毒老板买安礼、程树杰及其帮凶闪有义(闪文章之侄)等八人，焚烧了所有毒品。至此，博爱制毒、贩毒的“中和记”及其社会基础才被彻底摧毁。

金元券在郑州

谷在田

1945 年 8 月，抗日战争胜利后，广大群众欢天喜地地返回家园，心想可该安居乐业了！谁知好景不长，蒋介石破坏“双十协定”，发动内战，征兵、派粮、要款，逼得人民喘不过气来。

1948 年，市场物价又急骤上涨，据《管城纪年》等文献资料记载：郑州市场物价自实行币制改造后，特别是“发行金元券大钞票额 50 万元、100 万元之后，物价疯狂上涨：大星青布每匹(100市尺)8000 万元，长乐安蓝布每匹 7900 万元；胜利白布每匹4500万元；小麦每斗(16市斤)350万元；大米每斗720万元；小米每斗420万元；高粱每斗250万元；通粉每袋(40斤)1500万元；香油每斤100万元；食盐每斤40万元；棉花每斤150万元……”。大商店、小货铺门前都贴有“早晚市价不同，目下一言为定”的小红纸条。

此后金元券很快贬值，几成为废纸。小孩拿着万元票额的金元券叠蛤蟆当玩艺。郑州营门街有个叫白老合的小杂货铺，将5万元票额的金元券糊墙头，他说这比买彩纸还便宜。在维新街内，有一老太婆(人们都称胡老太太)拿出她积攒的半麻袋金元券，放在门外焚烧，口中咒骂：“金元券、金元券，金元券把咱穷人骗！”

纸币贬值使人民受害一例

杨慧兰

国民党统治时期物价不断上涨，尤其抗战以后，通货恶性膨胀，货币制度屡更，由法币而关金、而金元券。每在币制更迭之际，辄利用收兑比价，搜刮民财，人民受害之深，实在无法计算。

兹录武汉市档案馆所存68—15—9卷，郑州西大街二十号居民高崇汉之妻高顾氏1948年给中国银行的两封信，反映了她一家惨遭币制剥削的事实，这是血泪的控诉。而全国广大人民受害之深，于此亦可见一斑。

高顾氏给中国银行的第一封信：

诸位经理大鉴：敬启者，氏夫高崇汉于民国二十六年(1937)存贵银行现洋叁佰元(即银元)，以为贵银行信用昭彰，久孚众望，生息养生，后有所托。不意抗战爆发，日寇猖獗，开封、郑州相继沦陷，贵行西迁，一向搁置。氏全家因逃难被抢，财物一空，虽欲赴陕领取，奈山河遥隔，苦难如愿。氏夫因气致病，竟于三十年(1941)间殒命。氏寡守二子三女，残喘度日，迭经蝗旱，饥毙二女，形同乞讨。幸天保佑，得以不死。嗣以日寇投降，国军光复。氏以生活无着，乃于民国三十六年七月携存款证向贵行支取，当经贵行叶先生，窥氏女流，意图蒙混，仅发法币叁佰元，敷衍塞责。以昔时存款，系现洋并非纸币，况事隔十载，物价悬殊，何啻天渊，叁佰元何济于事，坚辞不受。该叶先生良心发现，颜面通红，转言过去存款，应发多寡，现在总行尚无规定，当将氏存款证扣留，换给代收存款证据一纸，俟总行颁发规定后，再为通知具领。不意迄今又满一年，终未见贵行通知示以相当之办法。刻因百物暴涨，生活艰难已达极点，用特奉函请示，究竟此事如何办法？请于五日内，予以相当之处理。否则，氏穷困日促，情急势迫，只得一面向法院起诉，一面请示总统指示相当之办法矣。临书

迫切，语无伦次，尚希鉴谅是荷！

顺候

财安

高顾氏谨具

民国三十七年八月三日

住郑县西关大街二十号

高顾氏给郑州中国银行的第二封信：

敬复者：八月三十日接读来信，聆悉一是。存银行银币叁佰元，为时十一年，结果清算本息国币四十五万余元，折合金元券壹角伍分。为数固属甚大，但此款原系存到贵行，与天津本无关系，今来信借口委托代取，殊属非是。查民国廿六年叁佰元银币，可购买小麦叁拾石，不意存到贵行已十一年之久，不惟原本不得，仅折金元券壹角伍分，不足购面粉一斤，天理何在？国法何在？所折之壹角伍分，着仍存贵行，俟氏向最高机关请示后，再取可也。此致

中国银行郭主任。

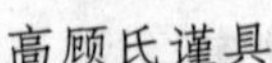
高顾氏谨具

民国三十七年九月二日

住西关大街二十号

据计算："法币"一百元的购买力，1937年可买两头牛；1945年可买两个鸡蛋；1946年可买六分之一块肥皂；1947年可买一个煤球；1948年只能买五百分之一两大米，其恶性膨胀程度于此可见。

后记

《新编文史笔记·中州钩沉》经过一年多的编辑工作与读者见面了。本书是继《新编文史笔记·中州轶闻》之后，我们河南省文史研究馆编辑出版的第二本笔记。本书的出版旨在积累史料，弘扬中华民族文化，为社会主义精神文明建设服务。本书的史料以老馆员的亲见、亲闻、亲历为主，同时还邀请了馆外近百位老专家、学者座谈，得到他们的支持，并为本书积极撰稿。近二年中先后共收到文稿近千篇，从中选出适合文史笔记的文稿近三百篇。第一本《新编文史笔记·中州轶闻》采用一百四十多篇，编入本书的一百二十五篇。在这里我们向这些老专家、老学者和支持我们工作的省、市有关部门表示衷心的感谢。

本书的特点是：文章短，题材广，史料真实，可读性强。文章短，是笔记体裁特征之一，本书编入的文稿，平均每篇八百字；题材广，内容包括政坛风云、名人轶事、文化教育、社会生活、民情风俗等鲜为人知的史料；史料真实，所写文章要经过反复核查，当事人健在的还要经本人审阅后才用。史料的时限，从清末民初到1949年，尤其侧重反映清末至二三十年代的人和事。能够了解这段历史的人，已经不多，有的古稀老人已不能动笔，我们就录音“抢救”，尽可能发掘出来，对补充这段历史的资料应是一大贡献。

河南省政协副主席、河南大学著名教授、河南省文史研究馆名誉馆长任访秋担任本书的顾问，馆长魏玉林任主编，馆员、老报人王华农和馆员刘家骥教授任副主编。参加编辑工作的还有陈晶彧、赵国林同志。

邀请河南省原副省长、河南省老年书画研究会名誉会长岳肖峡为本书题了书名。

由于我们条件的限制，本书难免有不足之处，恳请广大读者不吝赐教。

编　者